Le Malade imaginaire

ÉTONNANTS•CLASSIQUES

MOLIÈRE

Le Malade imaginaire

Présentation, notes et dossier
par CLAIRE JOUBAIRE,
professeur de lettres

GF Flammarion

De Molière,
dans la collection « Étonnants Classiques »

L'Amour médecin, Le Sicilien ou l'Amour peintre
L'Avare
Le Bourgeois gentilhomme
Dom Juan
L'École des femmes
Les Femmes savantes
Les Fourberies de Scapin
George Dandin
Le Malade imaginaire
Le Médecin malgré lui
Le Médecin volant. La Jalousie du Barbouillé
Le Misanthrope
Les Précieuses ridicules
Le Tartuffe

ISBN : 978-2-0812-7313-9
ISSN : 1269-8822

Mise en page : Meta-systems
N° d'édition : L.01EHRN000260.N001
Dépôt légal : mars 2012

SOMMAIRE

Le Malade imaginaire

PRÉSENTATION

Qui était Molière ?

Le choix du théâtre

Jean-Baptiste Poquelin – qui deviendra le célèbre Molière – naît à Paris en 1622, dans une famille appartenant à la bourgeoisie aisée. Son père exerce le métier de tapissier. Cette fonction lui permet, sans être noble, de fréquenter la plus haute aristocratie. En 1631, alors que Jean-Baptiste est encore enfant, il achète la charge de « tapissier ordinaire et valet de chambre du roi » : c'est à lui que revient le soin de décorer les appartements du souverain, et le grand honneur... de rabattre la couverture de son lit chaque matin ! Deux ans plus tard, cette charge devient héréditaire : elle échoira de droit à Jean-Baptiste. L'avenir du jeune homme semble donc tout tracé : aujourd'hui les études – en latin – au collège de Clermont (l'actuel lycée Louis-le-Grand), et demain, afin de se familiariser aux manières des grands, la faculté de droit, puis le métier de tapissier et la carrière à la cour...

C'est sans compter un événement inattendu : l'amour que Jean-Baptiste se découvre pour le théâtre et pour la comédienne Madeleine Béjart. La rencontre de la jeune femme en 1643 modifie le cours de sa vie : il renonce à la charge de tapissier, qu'il cède à son frère cadet, et, à vingt et un ans, entreprend, avec Madeleine et ses frères, de monter une troupe qu'ils baptisent « l'Illustre-Théâtre ». L'année suivante, il choisit le pseudonyme sous lequel il connaîtra la gloire : Molière.

La décision du jeune garçon est audacieuse : si la carrière d'homme de théâtre peut sembler plus exaltante que la voie à laquelle sa naissance l'a destiné, elle est aussi plus hasardeuse. En effet, la profession de comédien est méprisée par la société et condamnée par l'Église[1]. En outre, pour les jeunes acteurs de l'Illustre-Théâtre, le succès est loin d'être assuré. Bien que le théâtre soit un divertissement à la mode, tant auprès d'un public populaire que de la haute bourgeoisie et de l'aristocratie, les salles qui lui sont dédiées sont encore peu nombreuses. En outre, de grandes compagnies tiennent le haut de l'affiche à Paris, si bien qu'il est difficile pour une petite troupe de trouver sa place. En deux ans, l'Illustre-Théâtre accumule plus de dettes que de succès, et finit par faire faillite. En 1645, incapable de rembourser l'argent qu'il doit à ses fournisseurs, Molière est envoyé en prison.

De la prison au théâtre du Palais-Royal

Malgré cet échec, Molière ne renonce pas à sa vocation : avec Madeleine Béjart, Geneviève et Joseph (la sœur et le frère de la jeune femme), il rejoint la troupe itinérante du comédien Dufresne qui sillonne le pays. Leur tournée durera treize ans. Molière prend rapidement la tête de la compagnie, pour laquelle il écrit ses premières comédies : *L'Étourdi*, qu'il monte à Lyon en 1655, puis le *Dépit amoureux*, à Béziers l'année suivante. La troupe trouve son public, accroît sa renommée, et reçoit des subventions de mécènes[2] de plus en plus puissants : d'abord le

---

1. À l'époque, l'Église considère que le théâtre pervertit les bonnes mœurs et détourne les fidèles de la religion.
2. *Mécènes* : personnes fortunées qui aident les artistes en leur offrant de généreuses subventions.

duc d'Épernon, puis le prince de Conti – troisième personnage de la cour, après le roi et son frère. Mais, en 1656, ce dernier se convertit à une forme intransigeante de catholicisme – qui voit le théâtre d'un très mauvais œil – et lui retire son soutien. Démunis, les acteurs décident de retenter leur chance à Paris.

Peu après son arrivée dans la capitale, en 1658, la troupe est placée sous la protection de « Monsieur », Philippe d'Orléans, frère du roi. C'est par son intermédiaire que, pour la première fois, Molière est invité à jouer devant le souverain. L'enjeu de cette représentation est de taille : le roi Louis XIV accorde un rôle central aux arts et sait se montrer généreux à l'égard des artistes talentueux. Lui plaire signifie avoir peut-être la chance de bénéficier d'une subvention, qui mettrait la troupe à l'abri du besoin, et se voir attribuer une des salles de théâtre qui viennent d'être construites à Paris... Molière choisit d'interpréter une tragédie de Corneille, *Nicomède*, et une farce qu'il a écrite lui-même, *Le Docteur amoureux*. Le roi bâille devant la tragédie mais rit à la petite farce. Dès lors, il offre à la troupe de Molière la scène du théâtre du Petit-Bourbon, qu'elle partage avec les comédiens-italiens menés par Tiberio Fiorilli (1600-1694), plus connu sous le nom du personnage qu'il interprète : Scaramouche. C'est sur cette scène que la troupe de Molière connaît ses premiers succès : *Le Médecin volant* (1659), *Sganarelle ou le Cocu imaginaire* et *La Jalousie du Barbouillé* (1660). En 1661, les deux troupes déménagent dans le prestigieux théâtre du Palais-Royal : Molière est alors l'un des dramaturges les plus célèbres de France.

Molière, comédien du roi

Désormais, il compose des pièces pour son théâtre ou sur commande, pour agrémenter les fêtes données par de riches aristocrates. À l'occasion d'une réjouissance programmée en l'honneur du roi, son puissant surintendant des Finances, Nicolas Fouquet, demande à Molière de créer un spectacle avec le chorégraphe Pierre Beauchamps. En août 1661, les deux artistes montent *Les Fâcheux*, une pièce qui mêle comédie, ballets et chants : c'est la naissance d'une forme de spectacle inédite, la comédie-ballet. En proposant un divertissement qui cumule les genres préférés de son roi – la musique, la danse et le théâtre –, Fouquet a vu juste : Louis XIV est enchanté par le spectacle.

La carrière de Molière s'accélère alors : en 1663, le monarque l'invite au château de Versailles afin qu'il y représente plusieurs spectacles, dont *Les Fâcheux*. En 1664, il lui commande une nouvelle comédie-ballet, pour laquelle il lui impose de collaborer avec un jeune et talentueux musicien d'origine italienne qu'il apprécie tout particulièrement, Jean-Baptiste Lully. Ce sera *Le Mariage forcé*. Quelques mois plus tard, les deux artistes bénéficient d'un budget important pour créer un spectacle qui constituera l'un des clous d'une fête somptueuse organisée par le roi dans les jardins du château de Versailles, *Les Plaisirs de l'Île enchantée*. Le musicien et le dramaturge relèvent le défi avec brio : *La Princesse d'Élide* recueille les suffrages de la cour et du roi, et accroît encore la gloire de Molière. Le succès rencontré auprès de Louis XIV ne se démentira pas : en 1665, il accorde à la troupe de Molière le titre de « troupe du roi ».

Le triomphe à la cour et à la ville

Entre 1664 et 1671, au rythme d'un à deux spectacles par an, Molière et Lully créent ensemble onze comédies-ballets, dont *L'Amour médecin* (1665), *Le Sicilien ou l'Amour peintre* (1667), *George Dandin* (1668) et *Le Bourgeois gentilhomme* (1670). Ces spectacles sont représentés dans les plus beaux châteaux du roi, devant le souverain et sa cour, puis repris dans une version plus simple sur la scène du Palais-Royal, pour le public parisien. Parallèlement, Molière continue d'écrire et de mettre en scène d'autres pièces, à la cour (c'est-à-dire devant le roi) et à la ville (dans la salle du Palais-Royal). Il alterne les petites comédies (proches de celles qui constituèrent son premier succès), comme *Le Médecin malgré lui* (1666) et *Les Fourberies de Scapin* (1671), et les grandes comédies, qui entendent rivaliser avec la prestigieuse tragédie, composées comme cette dernière en cinq actes et parfois en vers : ainsi en est-il de *L'École des femmes* (1662), du *Misanthrope* (1666) et des *Femmes savantes* (1672). Beaucoup de ces spectacles rencontrent un grand succès et, même si certaines pièces font scandale – comme *Le Tartuffe* et *Dom Juan*, qui attaquent l'hypocrisie religieuse –, Louis XIV multiplie les signes d'amitié à l'égard du comédien et lui accorde de généreuses subventions !

Toutefois, le statut privilégié de Molière, ainsi que ses pièces dans lesquelles il n'hésite pas à attaquer les hommes les plus puissants du royaume, lui attirent de solides rancunes. Ses ennemis lui reprochent son immoralité, dans ses pièces comme dans sa vie privée : quand il épouse Armande Béjart, la sœur cadette de Madeleine, se met à courir la folle rumeur qu'il s'agit en réalité de la fille de Madeleine, voire de la propre fille de Molière ! En outre, en 1671, une dispute met fin à sa collaboration avec Lully.

Molière continue cependant à mettre en scène ses spectacles. Il monte une dernière comédie-ballet, en collaboration avec Marc Antoine Charpentier : *Le Malade imaginaire*. Il meurt un soir de février 1673, quelques heures après avoir interprété sur scène le rôle principal de cette dernière pièce. Le prêtre arrive trop tard pour lui faire abjurer sa profession de comédien, condition alors indispensable pour être enterré religieusement. Néanmoins, grâce à l'intervention de Louis XIV, Molière est inhumé au cimetière Saint-Joseph, au cours d'une cérémonie nocturne. Après sa mort, ses spectacles seront souvent repris, avec beaucoup de succès, aussi bien à la cour qu'à Paris.

La comédie-ballet, à la croisée des genres

La comédie-ballet est un genre composite, qui mêle de manière originale des éléments issus de spectacles très différents : la tradition populaire de la farce et la fantaisie de la *commedia dell'arte* – pour la comédie –, et les ballets sophistiqués que l'on donne dans les palais du roi – pour les parties dansées et chantées.

La farce

La farce est une forme de théâtre comique qui remonte au Moyen Âge. Enfant, Molière a pu assister à ces spectacles populaires : dans les foires, le public est nombreux à apprécier ces comédies, et il arrive que des « opérateurs » (médecins autodidactes qui proposent leurs services à peu de frais) engagent des comédiens pour attirer la foule devant leur échoppe. Pièces courtes, les farces mettent en scène des personnages issus du peuple, qui s'expriment dans un langage familier et sont volontiers caricaturaux. Le trio qui réunit l'amant rusé, la femme infidèle et le mari cocu est décliné sous toutes ses formes pour faire rire le public. Les comédiens n'hésitent pas à recourir à un humour grossier, voire obscène. Le comique s'appuie en grande partie sur le jeu des acteurs : gestes endiablés, imitation des accents les plus divers, mimiques expressives, etc. Dans *Le Malade imaginaire*, les allusions aux selles d'Argan s'inscrivent dans cette tradition farcesque, mais l'intrigue, élaborée, s'en distingue : elle repose, comme souvent dans les comédies de Molière, sur le thème du mariage contrarié (Argan refuse de marier sa fille à un prétendant qui ne soit pas médecin).

La *commedia dell'arte*

Pour ses comédies-ballets Molière emprunte également au répertoire de la troupe avec laquelle il partage le théâtre du Palais-Royal : la *commedia dell'arte* (« théâtre de professionnels », en français). L'expression désigne une forme théâtrale pratiquée par les premières troupes professionnelles de comédiens italiens entre le milieu du XVIe siècle et la fin du XVIIIe siècle. Elle est importée en France à la fin du XVIe siècle par des troupes itinérantes qui proposent leurs spectacles en province et à Paris. Au milieu du XVIIe siècle, elle connaît un succès croissant dans la capitale, qui, dès 1653, accueille la troupe italienne de Scaramouche. Les spectacles de la *commedia dell'arte* mettent en scène des personnages récurrents et stéréotypés, que les spectateurs reconnaissent grâce à leur costume et à leur masque : des valets rusés (comme Arlequin), des vieillards avares (Pantalon), des jeunes filles amoureuses (Colombine)...

Le texte des pièces n'est pas écrit : un simple canevas, préparé par le chef de troupe, résume les étapes importantes de l'intrigue et les principaux gags (*lazzi*). Cette esquisse de scénario laisse les comédiens libres d'improviser certaines scènes et de réinventer l'intrigue au fur et à mesure des répétitions. Ils privilégient ainsi un jeu « naturel », moins codifié que celui des comédiens français de la même époque. L'intrigue est en outre secondaire par rapport aux effets de comique : peu importe que les situations soient abracadabrantes pourvu que le public rie !

Dans *Le Malade imaginaire*, on perçoit l'influence de la *commedia dell'arte* dans le personnage de Toinette, une servante rusée qui constitue une sorte de double féminin d'Arlequin, et dans ceux d'Angélique et de Cléante, un couple typique de jeunes amants issus chacun de bonne famille dont le mariage est empêché par le père extravagant de la jeune fille. Mais l'influence de la *commedia dell'arte* sur *Le Malade imaginaire* est surtout perceptible dans les personnages de médecins, ridicules et arrogants, qui rappellent le *Dottore* (« Docteur », en italien), dont l'ignorance n'a d'égale que la prétention. Enfin, les intermèdes musicaux mettent en scène un personnage phare de la *commedia dell'arte*, Polichinelle[1]. Même si celui-ci n'apparaît pas dans les spectacles de la troupe de Scaramouche, son costume blanc et son colachon – instrument à cordes remplacé par un luth dans la pièce de Molière – sont bien connus du public parisien, qui le voit évoluer dans de nombreux ballets de cour.

Les ballets de cour et le théâtre en musique

Les ballets constituent une autre source d'inspiration de Molière. À la cour du Roi-Soleil, ils occupent une place centrale : Louis XIV les apprécie car ils lui permettent de se mettre en scène en monarque tout-puissant. Aussi organise-t-il régulièrement de somptueux ballets de cour, comme *Les Fêtes de Bacchus*

---

1. Dans la *commedia dell'arte*, le personnage de Polichinelle est un petit homme lâche mais fanfaron. Il se nomme d'ailleurs Pulcinella en italien, c'est-à-dire « petit poussin », car il préfère piailler plutôt qu'agir. Ce fripon est essentiellement caractérisé par sa fourberie et son apparence disgracieuse : son nez est rouge et crochu et, parce que le diable l'aurait laissé tomber de son dos étant enfant, Polichinelle est bossu.

en 1651 et *L'Amour malade* en 1657. Ces spectacles, dans lesquels danse la noblesse – et parfois le roi lui-même –, mêlent la musique, le chant, la danse et de courts passages dialogués qui rapprochent le genre du théâtre. Mais, à la différence des pièces de Molière notamment, ils ne présentent pas de réelle intrigue : ils sont constitués de différents tableaux qui s'enchaînent, simplement liés entre eux par un thème commun.

En 1661, lorsque Fouquet demande à Molière de s'associer à un musicien pour créer un nouveau divertissement royal (*Les Fâcheux*), le dramaturge puise dans son expérience du ballet de cour. En effet, avant de composer ses comédies-ballets, il a assisté à de nombreux spectacles dansés et chantés et en a même conçu un en l'honneur du prince et de la princesse de Conti (monté à Montpellier en 1655). Le succès de cette première comédie-ballet consacre l'alliance du théâtre et de la danse. Molière n'est cependant pas le premier dramaturge à travailler au côté d'un musicien pour créer un spectacle où se mêlent ces différents arts. Depuis les années 1650, les auteurs dramatiques ont pris l'habitude d'intégrer des passages chantés à leurs pièces, sous l'influence de l'opéra – genre nouveau venu d'Italie et qui enchante le public français. On peut assister à la cour à de nombreuses pastorales chantées, c'est-à-dire des spectacles qui mettent en scène les amours de bergers et de bergères dans une campagne idéalisée, reprenant ainsi un thème littéraire de l'Antiquité. Certaines tragédies sont également accompagnées de musique, comme *Andromède* de Corneille, montée en 1650 en collaboration avec le musicien d'Assoucy, et que Molière reprendra, avec sa troupe, trois ans plus tard.

Dans *Le Malade imaginaire*, Molière s'inspire de la pastorale pour ses personnages mythiques et son atmosphère champêtre ; aux ballets de cour, il emprunte les chorégraphies et certains thèmes ou motifs : ainsi, la pièce s'achève par une scène en musique où le héros obtient son diplôme de médecin... ou plutôt, selon Molière, de charlatan ! De même, la réception d'un imbécile nommé Docteur est un épisode récurrent des ballets de cour. La grande innovation de Molière consiste à faire de cette scène un passage à la fois chanté et dansé dont il élargit la portée : loin d'être un simple gag, le troisième intermède constitue le dénouement de l'intrigue elle-même.

Le Malade imaginaire

Un spectacle musical créé pour le Carnaval

Le Malade imaginaire est la première comédie-ballet de Molière qui ne soit pas représentée devant le roi du vivant du dramaturge. Pourtant, il ne faut probablement pas voir dans cette singularité la marque d'un discrédit de Molière auprès du roi, mais plutôt la conséquence d'une dispute qui met fin à la collaboration de Molière et de Lully, quelques mois plus tôt. En effet, le musicien italien a su se montrer assez habile pour obtenir du roi l'exclusivité des spectacles musicaux destinés à la cour (ces derniers relèvent désormais de l'Académie royale de musique, que Lully dirige). *Le Malade imaginaire* étant un spectacle musical, si Molière ne travaille plus avec Lully mais avec un autre musicien, la pièce ne peut plus être représentée dans un palais du roi – au Louvre ou à Versailles – mais doit être créée « pour la ville », c'est-à-dire pour le théâtre du Palais-Royal. Cette contrainte n'empêche pas Molière de travailler avec un grand musicien, Marc Antoine Charpentier, et avec le chorégraphe de ses comédies-ballets précédentes, Pierre Beauchamps, afin de créer un spectacle comique, chanté et dansé, pour le Carnaval de 1673. Et de la dédier, dans son prologue... au roi[1]!

Une satire de la médecine

Le Malade imaginaire met en scène un héros nommé Argan, interprété par Molière lui-même, qui se trouve être la naïve victime de la charlatanerie des médecins. Alors qu'il est en pleine forme, il leur fait confiance au point de croire à tous leurs diagnostics et de se penser très malade... Pour avoir auprès de lui une personne qui puisse le soigner, et aussi pour économiser les précieux deniers qu'il dépense chez son apothicaire, il veut obliger sa fille à épouser un médecin, même si celui-ci est laid, idiot et désagréable! Conçue comme une véritable comédie, la pièce prend néanmoins une dimension nouvelle lorsque, quelques heures après la fin de la quatrième représentation, Molière, qui vient d'interpréter son personnage d'hypocondriaque[2] sur scène, succombe lui-même à une maladie bien réelle. À la lumière de ce tragique événement, on a longtemps affirmé que, malade depuis de longues années, Molière s'était nourri de son expérience de patient pour railler la médecine et se venger ainsi de la prétention et de l'incompétence de ceux qui la pratiquent aux dépens de leurs clients.

En réalité, rien ne prouve que Molière se savait malade quand il imagina *Le Malade imaginaire*[3] et il est difficile de dire s'il s'est inspiré de médecins qu'il avait rencontrés pour créer les

---

1. Voir note 1, p. 33.
2. *Hypocondriaque* : individu persuadé, à tort, qu'il est malade.
3. Voir l'édition des *Œuvres complètes* de Molière, dans la collection « Bibliothèque de la Pléiade », dir. Georges Forestier et Claude Bourqui (Gallimard, 2010).

effrayants – mais très drôles – M. Purgon (médecin d'Argan), le docteur Diafoirus et son fils, et M. Fleurant (l'apothicaire qui prépare leurs potions et les vend – très cher !). En effet, la satire de la médecine à laquelle se livre ici Molière correspond à une tradition comique déjà bien établie à cette époque : nombreuses sont les farces et les pièces de la *commedia dell'arte* qui mettent en scène des médecins grotesques. Molière lui-même a déjà composé plusieurs œuvres sur ce thème : *Le Médecin volant* – une de ses premières pièces, dans laquelle un pseudo-médecin abuse de la crédulité de l'homme qui le consulte au sujet de sa fille malade –, *L'Amour médecin* – comédie-ballet dans laquelle il tourne en ridicule les médecins du roi – et *Le Médecin malgré lui* – où un bûcheron devient du jour au lendemain un médecin que tout le monde croit sur parole à la seule vue de son habit !

Comme dans ses pièces précédentes, Molière concentre sa critique sur l'arrogance des médecins, qui refusent de reconnaître l'inefficacité, voire la dangerosité de leurs méthodes, sous prétexte qu'ils les ont apprises à l'Université... alors même qu'elles reposent sur des préceptes vieux de près de vingt siècles ! Pour ces médecins, peu importe que le patient succombe, du moment que le protocole, enseigné à l'école – et en latin –, a été respecté à la lettre. Molière dénonce également l'avidité de ces individus : s'ils n'ont aucun scrupule à fournir des remèdes inutiles à leurs patients, c'est qu'ils font payer très cher leurs prestations. Enfin, en mettant en scène ces personnages de médecins ridicules, Molière utilise aussi les ressorts comiques de la scatologie : il n'hésite pas à multiplier les références aux nombreux lavements qu'ils infligent au pauvre Argan – ces traitements qui consistent à injecter de l'eau par l'anus du patient pour purger son corps de toutes ses impuretés supposées, et dont le principal résultat est ici... de l'envoyer sans cesse aux toilettes.

CHRONOLOGIE

1622**1673**
16221673

- **Repères historiques et culturels**
- **Vie et œuvre de l'auteur**

Repères historiques et culturels

1610	Assassinat d'Henri IV. Louis XIII n'a que neuf ans : la régence est assurée par sa mère, Marie de Médicis.
1617	Début du règne personnel de Louis XIII.
1624	Richelieu devient chef du Conseil du roi.
1627	Fondation de la Compagnie du Saint-Sacrement (parti dévot).
1627-1629	Guerre contre les protestants.
1629	Succès de *Mélite*, première comédie de Corneille.
1634-1639	Richelieu construit le Palais-Cardinal, futur Palais-Royal.
1635	Reprise de la guerre de Trente Ans qui oppose, depuis 1618, la France et l'empire des Habsbourg (Autriche, Allemagne, Espagne et Flandres). Richelieu fonde l'Académie française. *Médée*, première tragédie de Corneille. Dans la dernière scène, la magicienne s'envole grâce aux machines du décor.
1636	Succès de la comédie *L'Illusion comique*, et triomphe de la tragi-comédie *Le Cid*, de Corneille, au théâtre du Marais.
1638	Naissance du futur Louis XIV, fils de Louis XIII et de la reine, Anne d'Autriche.
1639	Naissance de Racine.
1640	Arrivée à Paris de Tiberio Fiorilli, dit Scaramouche, et de sa troupe de comédiens italiens. *Horace*, *Cinna*, tragédies de Corneille.
1642	Mort de Richelieu ; Mazarin devient Premier ministre. Création de la congrégation de Saint-Sulpice, hostile au théâtre et qui combattra Molière. *Polyeucte*, tragédie, *Le Menteur*, comédie, de Corneille.
1643	Mort de Louis XIII. Début du règne de Louis XIV, qui n'a que cinq ans. Sa mère, Anne d'Autriche, assure la régence, secondée par Mazarin.

Vie et œuvre de l'auteur

1622   Janvier : naissance à Paris de Jean-Baptiste Poquelin.

1631   Son père achète la charge de « tapissier et valet de chambre ordinaire du roi ».

1635   Entrée au collège de Clermont (actuel lycée Louis-le-Grand).

1637   Jean-Baptiste Poquelin s'engage à reprendre la charge de son père, devenue héréditaire.

1640   Il effectue des études de droit à Orléans.

1642   Il abandonne la carrière d'avocat et rencontre Madeleine Béjart.

1643   Il renonce à la charge de « tapissier ordinaire du roi ». Il fonde « l'Illustre-Théâtre » avec les Béjart.

Repères historiques et culturels

1643-
1648 Suite et fin de la guerre contre les Habsbourg. La France sort victorieuse de ce conflit et agrandit son territoire.

1644 Un incendie détruit la salle du théâtre du Marais. Ouverture quelques mois plus tard d'une nouvelle salle, dotée de machines.

1647 *Orfeo*, opéra italien de Rossi et Butti.

1648-
1652 La Fronde : un certain nombre de parlementaires puis de princes se révoltent contre le pouvoir royal. Mazarin aide le roi à rétablir son autorité.

1650 *Andromède*, de Corneille, tragédie à machines créée au théâtre du Petit-Bourbon.

1653 Une troupe de comédiens italiens s'installe au théâtre du Petit-Bourbon.
Création du *Ballet de la Nuit* (musique de Lully) : le jeune Louis XIV y tient le rôle du Soleil.

1654 Sacre de Louis XIV.

1655 *Le Triomphe de l'amour sur les bergers et les bergères*, de Charles de Beys et Michel de La Guerre, est représenté au Louvre : il s'agit de la première pièce de théâtre entièrement chantée.

1660 Mariage de Louis XIV et de Marie-Thérèse, infante d'Espagne. Destruction du théâtre du Petit-Bourbon. Travaux de réhabilitation du théâtre du Palais-Royal.

Vie et œuvre de l'auteur

1644   Jean-Baptiste Poquelin prend le nom de Molière.

1645   Faillite de l'Illustre-Théâtre. Molière est couvert de dettes et emprisonné au Châtelet. Un ami intervient aussitôt pour le faire libérer.
Molière et les Béjart rejoignent la troupe itinérante de Dufresne : début des tournées en province.

1650   La troupe reçoit une pension et Molière devient chef de troupe.

1653   Molière met en scène *Andromède*, de Corneille (musique de Dassoucy).
Le prince de Conti accorde sa protection à la troupe.

1655   *L'Étourdi ou les Contretemps*, première comédie écrite par Molière, est jouée à Lyon.

1656   *Dépit amoureux* (farce).

1657   Rupture du prince de Conti avec la troupe de Molière.

1658   Retour de Molière et de sa troupe à Paris. Monsieur, frère du roi, leur accorde sa protection : ils s'installent au théâtre du Petit-Bourbon.
Première représentation devant le roi : *Nicomède*, tragédie de Corneille, et *Le Docteur amoureux*, farce de Molière, au Louvre.

1659   *Le Médecin volant* (farce) et *Les Précieuses ridicules* (comédie).

1660   *La Jalousie du Barbouillé* et *Sganarelle ou le Cocu imaginaire* (farces). Molière assume la charge paternelle de tapisser du roi.

Repères historiques et culturels

1661   Mort de Mazarin et début du règne personnel de Louis XIV.
Début de la construction du château de Versailles.

1662   Création de l'Académie royale de danse.

1663   Louis XIV attribue les premières pensions aux hommes de
lettres et fonde l'Académie des inscriptions et belles-lettres.

1664   *La Thébaïde*, première tragédie de Racine.

1665   *Alexandre le Grand*, tragédie de Racine, dédiée à Louis XIV.
Ballet de la naissance de Vénus, où Louis XIV joue
Alexandre le Grand.

**1666-
1667**   Du 2 décembre 1666 au 19 février 1667, grandes fêtes au
château de Saint-Germain-en-Laye, au cours desquelles est
représenté le *Ballet des Muses* (musique de Lully).

1667   Création d'*Andromaque*, tragédie de Racine.

Vie et œuvre de l'auteur

1661 Installation au théâtre du Palais-Royal.
La pièce *Les Fâcheux*, première comédie-ballet de Molière, est représentée au château de Vaux-le-Vicomte à l'occasion d'une fête donnée par Nicolas Fouquet, en présence du roi.
Au Palais-Royal, la troupe joue *L'École des maris* (petite comédie qui préfigure *L'École des femmes*).

1662 Molière épouse Armande Béjart, la sœur de Madeleine. Premier séjour de la troupe à la cour.
L'École des femmes (grande comédie), créée au théâtre du Palais-Royal, provoque un grand débat, pendant plus d'un an.

1663 Vives critiques contre *L'École des femmes*. Molière y répond dans deux comédies : *La Critique de l'École des femmes* (théâtre du Palais-Royal) et *L'Impromptu de Versailles* (joué à Versailles). Il reçoit une gratification royale de mille livres par an.

1664 *Le Mariage forcé*, au palais du Louvre, première collaboration de Molière et Lully.
En mai, la troupe participe aux *Plaisirs de l'Île enchantée*, festivités données par le roi à Versailles :
elle reprend *Les Fâcheux* et *Le Mariage forcé* et crée *La Princesse d'Élide* (comédie-ballet, musique de Lully) et *Le Tartuffe* (grande comédie). Cette dernière pièce est aussitôt interdite et déclenche une véritable bataille.
Le roi accepte d'être le parrain du fils de Molière, mais l'enfant meurt prématurément.

1665 *L'Amour médecin* est représenté à Versailles (comédie-ballet, musique de Lully).
La troupe obtient le titre de « troupe du roi » et une pension de six mille livres.
Dom Juan (grande comédie) fait scandale au théâtre du Palais-Royal. La pièce est retirée de l'affiche.

1666-1667 *Le Misanthrope* (grande comédie) et *Le Médecin malgré lui* (farce), au théâtre du Palais-Royal.
Mélicerte (comédie pastorale) *Pastorale comique, Le Sicilien ou l'Amour peintre* (comédies-ballets), créées pour le *Ballet des Muses*, en collaboration avec Lully.

Repères historiques et culturels

1667-1668   Conquête de la Flandres par les troupes françaises.

1668   Publication du premier recueil des *Fables* de La Fontaine.
Création des *Plaideurs,* comédie de Racine.
À Versailles, *Fêtes de l'Amour et de Bacchus.*

1669   Fondation de la première Académie royale de musique.

1672   Louis XIV installe la cour à Versailles.

1672-1673   Conquête de la Hollande.

1673   Création de la première tragédie lyrique (ou « tragédie en musique »), *Cadmus et Hermione*, de Lully et Quinault.

Vie et œuvre de l'auteur

1668   Au théâtre du Palais-Royal, *Amphitryon* (comédie d'intrigue), *L'Avare* (grande comédie) et, au château de Versailles, *George Dandin* (comédie-ballet, musique de Lully).

1669   Autorisation de jouer *Le Tartuffe* : la pièce rencontre un grand succès.
Monsieur de Pourceaugnac est créé au château de Chambord (comédie-ballet, musique de Lully).

1670   *Les Amants magnifiques*, au château de Saint-Germain-en-Laye (comédie-ballet), et *Le Bourgeois gentilhomme*, au château de Chambord (comédie-ballet, musique de Lully).

1671   *Psyché*, au palais des Tuileries (tragédie-ballet, musique de Lully) : grand succès.
Les Fourberies de Scapin, au théâtre du Palais-Royal (farce).
La Comtesse d'Escarbagnas, au château de Saint-Germain-en-Laye (comédie-ballet, musique de Lully).
Mort de Madeleine Béjart.
Une dispute met fin à la collaboration de Molière et Lully.

1672   *Les Femmes savantes*, au théâtre du Palais-Royal (grande comédie).

1673   *Le Malade imaginaire*, au théâtre du Palais-Royal (comédie-ballet, musique de Charpentier).
17 février : mort de Molière.

1674   *Le Malade imaginaire* est représenté lors des *Divertissements de Versailles* (fêtes données en l'honneur du roi).

NOTE SUR LA PRÉSENTE ÉDITION : nous suivons ici le texte établi par La Grange en 1682 pour les *Œuvres complètes de Monsieur de Molière*. Comme tous les éditeurs de la pièce, nous reproduisons le dialogue entre Polichinelle et la Vieille, dans le premier intermède, qui, tout comme l'« Autre prologue », figure dans le livret de la pièce publié en 1674, soit après la mort de Molière survenue en février 1673. Après cet événement, la salle du Palais-Royal où jouait la troupe de Molière est confiée à Lully. Afin de renforcer sa position auprès du roi, ce dernier s'arrange pour que la pièce de Molière ne puisse plus y être représentée, en faisant passer le 30 avril 1673 une ordonnance qui défend aux comédiens d'avoir plus de deux chanteurs et six violons. Pour déjouer cet obstacle, la troupe remplace le prologue initial de 1673, qui devenait impossible à monter, par celui de la Bergère.

Le Malade imaginaire

Comédie
mêlée de musique et de danses
représentée pour la première fois
sur le théâtre de la salle du Palais-Royal
le 10 février 1673
par la troupe du roi

PERSONNAGES

ARGAN, malade imaginaire.
BÉLINE, seconde femme d'Argan.
ANGÉLIQUE, fille d'Argan, et amante de Cléante.
LOUISON, petite fille d'Argan, et sœur d'Angélique.
BÉRALDE, frère d'Argan.
CLÉANTE, amant d'Angélique.
MONSIEUR DIAFOIRUS, médecin.
THOMAS DIAFOIRUS, son fils, et amant d'Angélique.
MONSIEUR PURGON, médecin d'Argan.
MONSIEUR FLEURANT, apothicaire.
MONSIEUR BONNEFOY, notaire.
TOINETTE, servante.

La scène est à Paris.

LE PROLOGUE

Après les glorieuses fatigues et les exploits victorieux[1] de notre auguste[2] monarque, il est bien juste que tous ceux qui se mêlent d'écrire travaillent ou à ses louanges[3], ou à son divertissement. C'est ce qu'ici l'on a voulu faire, et ce prologue est un essai des louanges de ce grand prince, qui donne entrée à[4] la comédie du *Malade imaginaire*, dont le projet a été fait pour le délasser[5] de ses nobles travaux.

La décoration représente un lieu champêtre[6] fort agréable.

---

1. Ce prologue est dédié à Louis XIV. Le roi est dit « victorieux » car il vient de s'illustrer en conquérant la Hollande (campagne de 1672).

2. *Auguste* : vénérable, admirable.

3. *Louanges* : compliments.

4. *Donne entrée à* : introduit.

5. *Délasser* : reposer.

6. *Champêtre* : de la campagne.

Églogue[1] en musique et en danse

FLORE, PAN, CLIMÈNE, DAPHNÉ, TIRCIS, DORILAS,
DEUX ZÉPHIRS, TROUPE DE BERGÈRES ET DE BERGERS[2].

FLORE

Quittez, quittez vos troupeaux,
Venez, Bergers, venez, Bergères,
10 *Accourez, accourez sous ces tendres ormeaux[3] :*
Je viens vous annoncer des nouvelles bien chères,
Et réjouir tous ces hameaux.
Quittez, quittez vos troupeaux,
Venez, Bergers, venez, Bergères,
15 *Accourez, accourez sous ces tendres ormeaux.*

CLIMÈNE ET DAPHNÉ

Berger, laissons là tes feux[4],
Voilà Flore qui nous appelle.

TIRCIS ET DORILAS

Mais au moins dis-moi, cruelle,

TIRCIS

Si d'un peu d'amitié tu payeras mes vœux[5] ?

DORILAS

20 *Si tu seras sensible à mon ardeur fidèle ?*

---

1. *Églogue* : petit poème en prose évoquant la vie champêtre.
2. Il s'agit des personnages typiques de la pastorale. Flore, Pan et les Zéphirs (ou Zéphyrs) sont des divinités liées à la nature : Flore est la déesse romaine des fleurs et des jardins, Pan le dieu grec des bergers et des troupeaux, et les Zéphyrs sont les dieux des vents. Climène et Tircis d'une part, Daphné et Dorilas de l'autre, sont deux couples de bergers et de bergères amoureux.
3. *Ormeaux* : petits ormes (arbres).
4. *Tes feux* : ton amour.
5. *Tu payeras mes vœux* : tu répondras à mon attente.

CLIMÈNE ET DAPHNÉ

Voilà Flore qui nous appelle.

TIRCIS ET DORILAS

Ce n'est qu'un mot, un mot, un seul mot que je veux.

TIRCIS

Languirai-je toujours dans ma peine mortelle ?

DORILAS

Puis-je espérer qu'un jour tu me rendras heureux ?

CLIMÈNE ET DAPHNÉ

25   *Voilà Flore qui nous appelle.*

Entrée de ballet

Toute la troupe des Bergers et des Bergères va se placer en cadence autour de Flore.

CLIMÈNE

Quelle nouvelle parmi nous,
Déesse, doit jeter[1] tant de réjouissance ?

DAPHNÉ

Nous brûlons d'apprendre de vous
Cette nouvelle d'importance.

DORILAS

30   *D'ardeur nous en soupirons tous.*

TOUS

Nous en mourons d'impatience.

---

1. Jeter : répandre.

FLORE

La voici : silence, silence !
Vos vœux sont exaucés, LOUIS[1] est de retour,
Il ramène en ces lieux les plaisirs et l'amour,
35 Et vous voyez finir vos mortelles alarmes.
Par ses vastes exploits son bras voit tout soumis :
      Il quitte les armes,
      Faute d'ennemis.

TOUS

Ah ! quelle douce nouvelle !
40   Qu'elle est grande ! qu'elle est belle !
Que de plaisirs ! que de ris[2] ! que de jeux !
     Que de succès heureux !
Et que le Ciel a bien rempli nos vœux !
Ah ! quelle douce nouvelle !
45   Qu'elle est grande, qu'elle est belle !

Autre entrée de ballet

Tous les Bergers et Bergères expriment par des danses les transports de leur joie.

FLORE

De vos flûtes bocagères[3]
Réveillez les plus beaux sons :
Louis offre à vos chansons

---

1. LOUIS : désigne le roi Louis XIV, et se prononce en deux syllabes.
2. Ris : rires.
3. Bocagères : champêtres.

La plus belle des matières[1].
50 *Après cent combats,*
Où cueille son bras
Une ample victoire,
Formez entre vous
Cent combats plus doux,
55 *Pour chanter sa gloire.*

TOUS
Formons entre nous
Cent combats plus doux,
Pour chanter sa gloire.

FLORE
Mon jeune amant[2], *dans ce bois,*
60 *Des présents de mon empire*
Prépare un prix à la voix
Qui saura le mieux nous dire
Les vertus et les exploits
Du plus auguste des rois.

CLIMÈNE
65 *Si Tircis a l'avantage,*

DAPHNÉ
Si Dorilas est vainqueur,

CLIMÈNE
À le chérir je m'engage.

DAPHNÉ
Je me donne à son ardeur

---

1. ***La plus belle des matières*** : le meilleur des sujets (le sujet le plus digne d'être chanté).
2. ***Amant*** : qui aime et est aimé en retour.

TIRCIS

Ô très chère espérance !

DORILAS

70   *Ô mot plein de douceur !*

TOUS DEUX

Plus beau sujet, plus belle récompense
Peuvent-ils animer un cœur ?

> *Les violons jouent un air pour animer les deux*
> *Bergers au combat, tandis que Flore, comme juge,*
> *va se placer au pied de l'arbre, avec deux Zéphirs,*
> *et que le reste, comme spectateurs, va occuper les*
> *deux coins du théâtre.*

TIRCIS

Quand la neige fondue enfle un torrent fameux,
Contre l'effort soudain de ses flots écumeux[1]
75   *Il n'est rien d'assez solide ;*
Digues, châteaux, villes et bois,
Hommes et troupeaux à la fois,
Tout cède au courant qui le guide :
Tel, et plus fier, et plus rapide,
80   *Marche LOUIS dans ses exploits.*

---

1. *Écumeux* : mousseux.

Ballet

Les Bergers et Bergères de son côté dansent autour de lui, sur une ritour-
nelle[1], pour exprimer leurs applaudissements.

DORILAS

Le foudre[2], menaçant, qui perce avec fureur
L'affreuse[3] obscurité de la nue[4] enflammée,
  Fait d'épouvante et d'horreur
  Trembler le plus ferme cœur :
85 *Mais à la tête d'une armée*
  Louis jette plus de terreur.

Ballet

Les Bergers et Bergères de son côté font de même que les autres.

TIRCIS

Des fabuleux exploits que la Grèce a chantés,
Par un brillant amas de belles vérités
  Nous voyons la gloire effacée,
90 *Et tous ces fameux demi-dieux*
  Que vante l'histoire passée
  Ne sont point à notre pensée
  Ce que LOUIS est à nos yeux.

---

1. *Ritournelle* : morceau de musique répété entre chaque chant, comme
un refrain.
2. *Le foudre* : la foudre. Au XVIIᵉ siècle, le mot s'emploie au masculin.
3. *Affreuse* : terrifiante.
4. *La nue* : les nuages.

Ballet

Les Bergers et Bergères de son côté font encore la même chose.

DORILAS

Louis fait à nos temps, par ses faits[1] inouïs,
95 *Croire tous les beaux faits que nous chante l'histoire*
     Des siècles évanouis :
     Mais nos neveux[2], dans leur gloire,
     N'auront rien qui fasse croire
     Tous les beaux faits de LOUIS.

Ballet

Les Bergers et Bergères de son côté font encore de même, après quoi les deux partis se mêlent.

PAN, *suivi des six* FAUNES[3].

100 *Laissez, laissez, Bergers, ce dessein téméraire[4].*
     Hé ! que voulez-vous faire ?
     Chanter sur vos chalumeaux[5]
     Ce qu'Apollon[6] sur sa lyre,
     Avec ses chants les plus beaux,
105   *N'entreprendrait pas de dire,*

---

1. Faits : exploits.
2. Nos neveux : nos descendants.
3. Faunes : petites divinités liées à Pan, le dieu des bergers.
4. Dessein téméraire : projet audacieux, courageux, mais périlleux.
5. Chalumeaux : flûtes rustiques. Comme le fait remarquer Pan, il s'agit d'instruments bien moins sophistiqués que la lyre d'Apollon.
6. Apollon : dans la mythologie grecque, dieu de la musique, de la danse et de la poésie, célèbre pour sa beauté.

C'est donner trop d'essor[1] au feu qui vous inspire,
C'est monter vers les cieux sur des ailes de cire[2],
    Pour tomber dans le fond des eaux.

  Pour chanter de LOUIS l'intrépide courage,
110   Il n'est point d'assez docte[3] voix,
Point de mots assez grands pour en tracer l'image :
    Le silence est le langage
    Qui doit louer ses exploits.
  Consacrez d'autres soins à sa pleine victoire ;
115 Vos louanges n'ont rien qui flatte ses désirs ;
    Laissez, laissez là sa gloire,
    Ne songez qu'à ses plaisirs.

Tous
    Laissons, laissons là sa gloire,
    Ne songeons qu'à ses plaisirs.

Flore
120 Bien que, pour étaler ses vertus immortelles,
    La force manque à vos esprits,
Ne laissez pas tous deux de recevoir le prix[4] :
    Dans les choses grandes et belles
    Il suffit d'avoir entrepris.

---

1. Essor : élan.
2. Monter vers les cieux sur des ailes de cire : cette expression fait allusion à un épisode de la mythologie grecque. Icare réussit à voler grâce à des ailes fabriquées avec des plumes et de la cire par son père Dédale, mais, contre les recommandations de ce dernier, il s'approche trop près du soleil, qui fait fondre la cire et entraîne sa chute dans la mer, où il périt. L'expression signifie ici que les bergers ont un projet trop ambitieux, comme Icare.
3. Docte : savante.
4. Ne laissez pas [...] de recevoir le prix : soyez-en récompensés.

Entrée de ballet

Les deux Zéphirs dansent avec deux couronnes de fleurs à la main, qu'ils viennent ensuite donner aux deux Bergers.

CLIMÈNE et DAPHNÉ, *en leur donnant la main.*
125   *Dans les choses grandes et belles*
Il suffit d'avoir entrepris.

TIRCIS ET DORILAS
Ah ! que d'un doux succès notre audace est suivie !

FLORE ET PAN
Ce qu'on fait pour LOUIS, on ne le perd jamais.

LES QUATRE AMANTS
Au soin de ses plaisirs donnons-nous désormais.

FLORE ET PAN
130 *Heureux, heureux qui peut lui consacrer sa vie !*

TOUS
Joignons tous dans ces bois
Nos flûtes et nos voix,
Ce jour nous y convie ;
Et faisons aux échos redire mille fois :
135   *« LOUIS est le plus grand des rois ;*
Heureux, heureux qui peut lui consacrer sa vie ! »

Dernière et grande entrée de ballet

Faunes, Bergers et Bergères, tous se mêlent, et il se fait entre eux des jeux de danse, après quoi ils se vont préparer pour la Comédie.

AUTRE PROLOGUE

Le théâtre représente une forêt.

L'ouverture du théâtre se fait par un bruit agréable d'instruments. Ensuite une Bergère vient se plaindre tendrement de ce qu'elle ne trouve aucun remède pour soulager les peines qu'elle endure. Plusieurs Faunes et Ægipans, assemblés pour des fêtes et des jeux qui leur sont particuliers, rencontrent la Bergère. Ils écoutent ses plaintes et forment un spectacle très divertissant.

PLAINTES DE LA BERGÈRE

Votre plus haut savoir n'est que pure chimère[1],
  Vains[2] et peu sages médecins ;
Vous ne pouvez guérir par vos grands mots latins
  La douleur qui me désespère :
5 *Votre plus haut savoir n'est que pure chimère.*

  Hélas ! je n'ose découvrir
   Mon amoureux martyre[3]
  Au Berger pour qui je soupire,
  Et qui seul peut me secourir.
10 *Ne prétendez pas le finir,*
Ignorants médecins, vous ne sauriez le faire :
Votre plus haut savoir n'est que pure chimère.

---

1. Chimère : illusion.
2. Vains : vaniteux.
3. Mon amoureux martyre : le tourment que l'amour m'inflige.

Ces remèdes peu sûrs dont le simple vulgaire[1]
Croit que vous connaissez l'admirable vertu,
15 Pour les maux que je sens n'ont rien de salutaire ;
Et tout votre caquet[2] ne peut être reçu
Que d'un Malade imaginaire.

Votre plus haut savoir n'est que pure chimère,
Vains et peu sages médecins ;
20 Vous ne pouvez guérir par vos grands mots latins
La douleur qui me désespère :
Votre plus haut savoir n'est que pure chimère.

Le théâtre change et représente une chambre.

---

1. *Le simple vulgaire* : l'individu ordinaire.
2. *Caquet* : bavardage.

ACTE PREMIER

Scène première

ARGAN, *seul dans sa chambre assis, une table devant lui, compte des parties*[1] *d'apothicaire*[2] *avec des jetons ; il fait, parlant à lui-même, les dialogues suivants*[3]. – Trois et deux font cinq, et cinq font dix, et dix font vingt. Trois et deux font cinq. « Plus, du vingt-quatrième[4], un petit clystère[5] insinuatif, préparatif, et rémollient[6], pour amollir, humecter, et rafraîchir les entrailles de Monsieur. » Ce qui me plaît de Monsieur Fleurant, mon apothicaire, c'est que ses parties sont toujours fort civiles[7] : « les entrailles de Monsieur, trente sols[8] ». Oui, mais, Monsieur

---

1. *Parties* : factures, notes à payer.

2. *Apothicaire* : pharmacien chargé de préparer les remèdes.

3. Les passages entre guillemets représentent ce qui est écrit sur l'ordonnance du médecin, qu'Argan lit à haute voix et commente, comme s'il s'adressait directement à son apothicaire, M. Fleurant.

4. *Du vingt-quatrième* : le vingt-quatrième jour.

5. *Clystère* : lavement (procédé médical qui consiste à injecter un liquide par l'anus afin de nettoyer les intestins).

6. *Insinuatif* […] *et rémollient* : destiné à pénétrer dans le derrière d'Argan et à amollir. Tout au long de la tirade, Argan emploie un vocabulaire médical.

7. *Civiles* : polies. M. Fleurant évoque en effet les « entrailles » de son patient, afin d'éviter d'employer un mot plus cru, qui semblerait vulgaire.

8. Le ***sol*** est une ancienne monnaie, de même que le ***denier***, le ***franc*** et la ***livre*** mentionnés plus loin. Trente sols représentent environ quinze euros et,

10 Fleurant, ce n'est pas tout que d'être civil, il faut être aussi
raisonnable, et ne pas écorcher[1] les malades. Trente sols un
lavement : je suis votre serviteur[2], je vous l'ai déjà dit. Vous
ne me les avez mis dans les autres parties qu'à vingt sols, et
vingt sols en langage d'apothicaire, c'est-à-dire dix sols ; les
15 voilà, dix sols. « Plus, dudit jour[3], un bon clystère détersif[4],
composé avec catholicon[5] double, rhubarbe[6], miel rosat[7], et
autres, suivant l'ordonnance, pour balayer, laver, et nettoyer
le bas-ventre de Monsieur, trente sols. » Avec votre permission, dix sols. « Plus, dudit jour, le soir, un julep hépatique[8],
20 soporatif, et somnifère, composé pour faire dormir Monsieur,
trente-cinq sols. » Je ne me plains pas de celui-là, car il me fit
bien dormir. Dix, quinze, seize et dix-sept sols, six deniers[9].
« Plus, du vingt-cinquième, une bonne médecine purgative et
corroborative[10], composée de casse[11] récente avec séné levan-
25 tin[12], et autres, suivant l'ordonnance de Monsieur Purgon,

(en marge : lune intestine)

à l'époque de Molière, équivalent à la moitié du salaire journalier d'un
ouvrier qualifié. Argan paie très cher ses médicaments.

1. *Écorcher* : ici, ruiner.

2. *Je suis votre serviteur* : formule de politesse qui semble marquer l'assen-
timent, équivalent de « d'accord » (emploi ironique).

3. *Dudit jour* : le même jour.

4. *Détersif* : qui sert à nettoyer, à désinfecter.

5. *Catholicon* : pâte que l'on employait comme un remède universel.

6. *Rhubarbe* : plante connue pour ses propriétés laxatives.

7. *Miel rosat* : miel parfumé à la rose.

8. *Julep hépatique* : potion calmante composée d'un mélange d'eau et de
sirop, pour le foie.

9. Argan doit dix-sept sols à M. Fleurant mais ne veut lui donner que six
deniers, ce qui est une somme dérisoire (il faut en effet douze deniers pour
faire un sol ; dix-sept sols équivalent donc à deux cent quatre deniers).

10. *Corroborative* : vivifiante, qui redonne des forces.

11. *Casse* : pulpe issue d'une plante qui pousse en Inde. Elle est utilisée pour
purger l'organisme.

12. *Séné levantin* : feuilles d'une plante médicinale qui pousse au Levant,
c'est-à-dire en Orient (là où le soleil se lève). Comme la rhubarbe et la casse,
le séné est connu pour ses propriétés purgatives.

pour expulser et évacuer la bile[1] de Monsieur, quatre livres.»
Ah! Monsieur Fleurant, c'est se moquer ; il faut vivre avec les
malades. Monsieur Purgon ne vous a pas ordonné de mettre
quatre francs. Mettez, mettez trois livres, s'il vous plaît. Vingt
30   et trente sols. «Plus, dudit jour, une potion anodine et astringente[2], pour faire reposer Monsieur, trente sols.» Bon, dix et
quinze sols. «Plus, du vingt-sixième, un clystère carminatif[3],
pour chasser les vents de Monsieur, trente sols.» Dix sols,
Monsieur Fleurant. «Plus, le clystère de Monsieur réitéré le
35   soir, comme dessus, trente sols.» Monsieur Fleurant, dix sols.
«Plus, du vingt-septième, une bonne médecine composée
pour hâter d'aller[4], et chasser dehors les mauvaises humeurs[5]
de Monsieur, trois livres.» Bon, vingt et trente sols : je suis bien
aise que vous soyez raisonnable. «Plus, du vingt-huitième, une
40   prise de petit-lait clarifié[6], et édulcoré, pour adoucir, lénifier[7],
tempérer, et rafraîchir le sang de Monsieur, vingt sols.» Bon,
dix sols. «Plus, une potion cordiale[8] et préservative, composée avec douze grains[9] de bézoard[10], sirops de limon[11] et gre-

---

1. Bile : liquide sécrété par le foie.
2. Anodine et astringente : destinée à guérir le mal en resserrant les tissus
(termes techniques).
3. Carminatif : destiné à favoriser l'expulsion des gaz intestinaux.
4. Aller : aller aux toilettes.
5. Selon les médecins du XVIIᵉ siècle, qui reprennent les théories développées
dans l'Antiquité, les humeurs sont des liquides produits par l'organisme. Il
existe quatre humeurs : le sang, le flegme (ou lymphe), la bile et l'atrabile (ou
bile noire). C'est le déséquilibre de ces liquides dans le corps ou leur mauvaise circulation qui provoquent les maladies.
6. Petit-lait clarifié : beurre qu'on a fait chauffer de manière à dissocier la
matière grasse du «petit-lait».
7. Lénifier : apaiser.
8. Cordiale : qui soigne le cœur.
9. Grains : ancienne mesure de poids. Douze grains équivalent à 0,6 g.
10. Bézoard : matière pierreuse qui se forme dans l'estomac de certains animaux, à laquelle on attribuait des vertus magiques, et la capacité de soigner.
11. Limon : fruit semblable au citron, mais plus acide.

nade, et autres, suivant l'ordonnance, cinq livres.» Ah !
45 Monsieur Fleurant, tout doux, s'il vous plaît ; si vous en usez
comme cela, on ne voudra plus être malade : contentez-vous
de quatre francs. Vingt et quarante sols. Trois et deux font
cinq, et cinq font dix, et dix font vingt. Soixante et trois
livres, quatre sols, six deniers. Si bien donc que de ce mois
50 j'ai pris une, deux, trois, quatre, cinq, six, sept et huit médecines[1] ; et un, deux, trois, quatre, cinq, six, sept, huit, neuf,
dix, onze et douze lavements ; et l'autre mois il y avait douze
médecines, et vingt lavements. Je ne m'étonne pas si je ne me
porte pas si bien ce mois-ci que l'autre. Je le dirai à Monsieur
55 Purgon, afin qu'il mette ordre à cela. Allons, qu'on m'ôte
tout ceci. Il n'y a personne : j'ai beau dire, on me laisse
toujours seul ; il n'y a pas moyen de les arrêter ici. *(Il sonne
une sonnette pour faire venir ses gens[2].)* Ils n'entendent point, et
ma sonnette ne fait pas assez de bruit. Drelin, drelin, drelin :
60 point d'affaire. Drelin, drelin, drelin : ils sont sourds. Toinette ! Drelin, drelin, drelin : tout comme si je ne sonnais
point. Chienne, coquine ! Drelin, drelin, drelin : j'enrage. *(Il
ne sonne plus mais il crie.)* Drelin, drelin, drelin : carogne[3], à
tous les diables ! Est-il possible qu'on laisse comme cela un
65 pauvre malade tout seul ? Drelin, drelin, drelin : voilà qui
est pitoyable ! Drelin, drelin, drelin : ah, mon Dieu ! ils me
laisseront ici mourir. Drelin, drelin, drelin.

---

1. *Médecines* : potions, breuvages que l'on boit pour se soigner.
2. *Gens* : domestiques.
3. *Carogne* : femme de mauvaise vie. Employé comme une insulte, le mot
signifie ici «méchante».

Scène 2

TOINETTE, ARGAN

TOINETTE, *en entrant dans la chambre*. – On y va.

ARGAN. – Ah ! chienne ! ah ! carogne !…

TOINETTE, *faisant semblant de s'être cogné la tête*. – Diantre[1] soit fait de votre impatience ! vous pressez si fort les personnes, que
5 je me suis donné un grand coup de la tête contre la carne[2] d'un volet.

ARGAN, *en colère*. – Ah ! traîtresse !…

TOINETTE, *pour l'interrompre et l'empêcher de crier, se plaint toujours en disant*. – Ha !

10 ARGAN. – Il y a…

TOINETTE. – Ha !

ARGAN. – Il y a une heure…

TOINETTE. – Ha !

ARGAN. – Tu m'as laissé…

15 TOINETTE. – Ha !

ARGAN. – Tais-toi donc, coquine, que je te querelle[3].

TOINETTE. – Çamon[4], ma foi ! j'en suis d'avis, après ce que je me suis fait.

ARGAN. – Tu m'as fait égosiller[5], carogne.

20 TOINETTE. – Et vous m'avez fait, vous, casser la tête : l'un vaut bien l'autre ; quitte à quitte[6], si vous voulez.

ARGAN. – Quoi ? coquine…

TOINETTE. – Si vous querellez, je pleurerai.

---

1. *Diantre* : diable.
2. *La carne* : l'angle, le coin.
3. *Querelle* : dispute.
4. *Çamon* : oui, vraiment !
5. *Égosiller* : crier à en avoir mal à la gorge.
6. *Quitte à quitte* : nous sommes quittes.

ARGAN. – Me laisser, traîtresse…

25 TOINETTE, *toujours pour l'interrompre.* – Ha !

ARGAN. – Chienne, tu veux…

TOINETTE. – Ha !

ARGAN. – Quoi ? il faudra encore que je n'aie pas le plaisir de la quereller.

30 TOINETTE. – Querellez tout votre soûl[1], je le veux bien.

ARGAN. – Tu m'en empêches, chienne, en m'interrompant à tous coups.

TOINETTE. – Si vous avez le plaisir de quereller, il faut bien que, de mon côté, j'aie le plaisir de pleurer : chacun le sien, ce

35 n'est pas trop. Ha !

ARGAN. – Allons, il faut en passer par là. Ôte-moi ceci, coquine, ôte-moi ceci. *(Argan se lève de sa chaise.)* Mon lavement d'aujourd'hui a-t-il bien opéré ?

TOINETTE. – Votre lavement ?

40 ARGAN. – Oui. Ai-je bien fait de la bile ?

TOINETTE. – Ma foi ! je ne mêle point de ces affaires-là : c'est à Monsieur Fleurant à y mettre le nez, puisqu'il en a le profit.

ARGAN. – Qu'on ait soin de me tenir un bouillon prêt, pour l'autre que je dois tantôt[2] prendre.

45 TOINETTE. – Ce Monsieur Fleurant-là et ce Monsieur Purgon s'égayent[3] bien sur votre corps ; ils ont en vous une bonne vache à lait[4] ; et je voudrais bien leur demander quel mal vous avez, pour vous faire tant de remèdes.

ARGAN. – Taisez-vous, ignorante, ce n'est pas à vous à contrôler

50 les ordonnances de la médecine. Qu'on me fasse venir ma fille Angélique, j'ai à lui dire quelque chose.

---

1. *Tout votre soûl* : tant que vous voulez.
2. *Tantôt* : tout à l'heure.
3. *S'égayent* : s'amusent.
4. *Vache à lait* : source de revenus.

TOINETTE. – La voici qui vient d'elle-même : elle a deviné votre pensée.

Scène 3

ANGÉLIQUE, TOINETTE, ARGAN

ARGAN. – Approchez, Angélique ; vous venez à propos : je voulais vous parler.

ANGÉLIQUE. – Me voilà prête à vous ouïr[1].

ARGAN, *courant au bassin*[2]. – Attendez. Donnez-moi mon bâton.

5   Je vais revenir tout à l'heure[3].

TOINETTE, *en le raillant*[4]. – Allez vite, Monsieur, allez. Monsieur Fleurant nous donne des affaires.

Scène 4

ANGÉLIQUE, TOINETTE

ANGÉLIQUE, *la regardant d'un œil languissant, lui dit confidemment*[5]. – Toinette !

TOINETTE. – Quoi ?

ANGÉLIQUE. – Regarde-moi un peu.

---

1. Ouïr : écouter.

2. Bassin : chaise percée faisant office de toilettes. Les lavements d'Argan sont en train de faire effet.

3. Tout à l'heure : sur-le-champ, tout de suite.

4. Le raillant : se moquant de lui.

5. Confidemment : sur le ton de la confidence.

5 TOINETTE. – Hé bien ! je vous regarde.

ANGÉLIQUE. – Toinette.

TOINETTE. – Hé bien, quoi, « Toinette » ?

ANGÉLIQUE. – Ne devines-tu point de quoi je veux parler ?

TOINETTE. – Je m'en doute assez : de notre jeune amant[1] ; car
10   c'est sur lui, depuis six jours, que roulent tous nos entretiens[2] ; et vous n'êtes point bien si vous n'en parlez à toute
heure.

ANGÉLIQUE. – Puisque tu connais cela, que n'es-tu donc la première à m'en entretenir, et que ne m'épargnes-tu la peine de
15   te jeter sur ce discours[3] ?

TOINETTE. – Vous ne m'en donnez pas le temps, et vous avez des
soins[4] là-dessus qu'il est difficile de prévenir.

ANGÉLIQUE. – Je t'avoue que je ne saurais me lasser de te parler
de lui, et que mon cœur profite avec chaleur de tous les
20   moments de s'ouvrir à toi. Mais dis-moi, condamnes-tu, Toinette, les sentiments que j'ai pour lui ?

TOINETTE. – Je n'ai garde[5].

ANGÉLIQUE. – Ai-je tort de m'abandonner à ces douces
impressions ?

25 TOINETTE. – Je ne dis pas cela.

ANGÉLIQUE. – Et voudrais-tu que je fusse insensible aux tendres
protestations de cette passion ardente qu'il témoigne pour
moi ?

TOINETTE. – À Dieu ne plaise !

---

1. *De notre jeune amant* : du jeune homme amoureux d'Angélique.
2. *C'est sur lui [...] que roulent tous nos entretiens* : c'est lui qui est le sujet de toutes nos conversations.
3. *De te jeter sur ce discours* : de chercher à te faire aborder ce sujet.
4. *Des soins* : un empressement.
5. *Je n'ai garde* : je m'en garderai bien.

30 ANGÉLIQUE. – Dis-moi un peu, ne trouves-tu pas, comme moi,
quelque chose du Ciel, quelque effet[1] du destin, dans l'aventure inopinée[2] de notre connaissance ?

TOINETTE. – Oui.

ANGÉLIQUE. – Ne trouves-tu pas que cette action d'embrasser ma
35   défense[3] sans me connaître est tout à fait d'un honnête
homme[4] ?

TOINETTE. – Oui.

ANGÉLIQUE. – Que l'on ne peut pas en user plus généreusement[5] ?

40 TOINETTE. – D'accord.

ANGÉLIQUE. – Et qu'il fit tout cela de la meilleure grâce du
monde ?

TOINETTE. – Oh ! oui.

ANGÉLIQUE. – Ne trouves-tu pas, Toinette, qu'il est bien fait de
45   sa personne ?

TOINETTE. – Assurément.

ANGÉLIQUE. – Qu'il a l'air le meilleur du monde ?

TOINETTE. – Sans doute.

ANGÉLIQUE. – Que ses discours, comme ses actions, ont quelque
50   chose de noble ?

TOINETTE. – Cela est sûr.

ANGÉLIQUE. – Qu'on ne peut rien entendre de plus passionné
que tout ce qu'il me dit ?

TOINETTE. – Il est vrai.

- not very interested in her affairs

---

1. *Effet* : ressort.
2. *Inopinée* : inattendue.
3. *Embrasser ma défense* : prendre ma défense.
4. *D'un honnête homme* : digne d'un honnête homme, c'est-à-dire dont les
qualités sont celles d'un homme sachant se conduire dans la bonne société.
5. *Généreusement* : noblement.

55 ANGÉLIQUE. – Et qu'il n'est rien de plus fâcheux[1] que la contrainte où l'on me tient, qui bouche tout commerce[2] aux doux empressements de cette mutuelle ardeur que le Ciel nous inspire ?

TOINETTE. – Vous avez raison.

60 ANGÉLIQUE. – Mais, ma pauvre Toinette, crois-tu qu'il m'aime autant qu'il me le dit ?

TOINETTE. – Eh, eh ! ces choses-là, parfois, sont un peu sujettes à caution[3]. Les grimaces d'amour ressemblent fort à la vérité ; et j'ai vu de grands comédiens là-dessus.

65 ANGÉLIQUE. – Ah ! Toinette, que dis-tu là ? Hélas ! de la façon qu'il parle, serait-il bien possible qu'il ne me dît pas vrai ?

TOINETTE. – En tout cas, vous en serez bientôt éclaircie ; et la résolution où il vous écrivit hier qu'il était de vous faire demander en mariage est une prompte voie à vous faire

70 connaître[4] s'il vous dit vrai, ou non : c'en sera là la bonne preuve.

ANGÉLIQUE. – Ah ! Toinette, si celui-là me trompe, je ne croirai de ma vie aucun homme.

TOINETTE. – Voilà votre père qui revient.

Scène 5

ARGAN, ANGÉLIQUE, TOINETTE

ARGAN *se met dans sa chaise.* – Ô çà[5], ma fille, je vais vous dire une nouvelle, où[6] peut-être ne vous attendez-vous pas : on vous

---

1. *Fâcheux* : ennuyeux, pénible.
2. *Qui bouche tout commerce* : qui empêche toute relation, tout échange.
3. *Sujettes à caution* : douteuses.
4. *Connaître* : savoir.
5. *Çà* : ici.
6. *Où* : à laquelle.

demande en mariage. Qu'est-ce que cela ? vous riez. Cela est plaisant[1], oui, ce mot de mariage ; il n'y a rien de plus drôle pour les jeunes filles : ah ! nature, nature ! À ce que je puis voir, ma fille, je n'ai que faire de vous demander si vous voulez bien vous marier.

ANGÉLIQUE. – Je dois faire, mon père, tout ce qu'il vous plaira de m'ordonner.

ARGAN. – Je suis bien aise d'avoir une fille si obéissante. La chose est donc conclue, et je vous ai promise[2].

ANGÉLIQUE. – C'est à moi, mon père, de suivre aveuglément toutes vos volontés.

ARGAN. – Ma femme, votre belle-mère, avait envie que je vous fisse religieuse, et votre petite sœur Louison aussi, et de tout temps elle a été aheurtée à cela[3].

TOINETTE, *tout bas.* – La bonne bête a ses raisons.

ARGAN. – Elle ne voulait point consentir à ce mariage, mais je l'ai emporté, et ma parole est donnée.

ANGÉLIQUE. – Ah ! mon père, que je vous suis obligée de[4] toutes vos bontés.

TOINETTE. – En vérité, je vous sais bon gré de cela[5], et voilà l'action la plus sage que vous ayez faite de votre vie. ← *to Argan*

ARGAN. – Je n'ai point encore vu la personne ; mais on m'a dit que j'en serais content, et toi aussi.

ANGÉLIQUE. – Assurément, mon père.

ARGAN. – Comment l'as-tu vu ?

ANGÉLIQUE. – Puisque votre consentement m'autorise à vous pouvoir ouvrir mon cœur, je ne feindrai point de[6] vous dire

---

1. *Plaisant* : ici, divertissant.
2. *Je vous ai promise* : j'ai fait la promesse de vous donner en mariage.
3. *Elle a été aheurtée à cela* : elle n'a pas voulu changer d'idée.
4. *Obligée de* : reconnaissante pour.
5. *Je vous sais bon gré de cela* : je vous en suis reconnaissante.
6. *Je ne feindrai point de* : je n'hésiterai pas à.

30 que le hasard nous a fait connaître il y a six jours, et que la
demande qu'on vous a faite est un effet de l'inclination[1] que,
dès cette première vue, nous avons prise l'un pour l'autre.

ARGAN. – Ils ne m'ont pas dit cela ; mais j'en suis bien aise, et
c'est tant mieux que les choses soient de la sorte. Ils disent
35 que c'est un grand jeune garçon bien fait.

ANGÉLIQUE. – Oui, mon père.

ARGAN. – De belle taille.

ANGÉLIQUE. – Sans doute[2].

ARGAN. – Agréable de sa personne.

40 ANGÉLIQUE. – Assurément.

ARGAN. – De bonne physionomie.

ANGÉLIQUE. – Très bonne.

ARGAN. – Sage, et bien né.

ANGÉLIQUE. – Tout à fait.

45 ARGAN. – Fort honnête.

ANGÉLIQUE. – Le plus honnête du monde.

ARGAN. – Qui parle bien latin, et grec.

ANGÉLIQUE. – C'est ce que je ne sais pas.

ARGAN. – Et qui sera reçu médecin dans trois jours.

50 ANGÉLIQUE. – Lui, mon père ?

ARGAN. – Oui. Est-ce qu'il ne te l'a pas dit ?

ANGÉLIQUE. – Non vraiment. Qui vous l'a dit à vous ?

ARGAN. – Monsieur Purgon.

ANGÉLIQUE. – Est-ce que Monsieur Purgon le connaît ?

55 ARGAN. – La belle demande ! il faut bien qu'il le connaisse,
puisque c'est son neveu.

ANGÉLIQUE. – Cléante, neveu de Monsieur Purgon ?

ARGAN. – Quel Cléante ? Nous parlons de celui pour qui l'on t'a
demandée en mariage.

---

1. *Inclination* : affection, amour.
2. *Sans doute* : sans aucun doute, assurément.

60 ANGÉLIQUE. – Hé ! oui.

ARGAN. – Hé bien, c'est le neveu de Monsieur Purgon, qui est le fils de son beau-frère le médecin, Monsieur Diafoirus ; et ce fils s'appelle Thomas Diafoirus, et non pas Cléante ; et nous avons conclu ce mariage-là ce matin, Monsieur Purgon, Mon-
65 sieur Fleurant et moi, et, demain, ce gendre prétendu[1] doit m'être amené par son père. Qu'est-ce ? vous voilà tout ébaubie[2] ?

ANGÉLIQUE. – C'est, mon père, que je connais que vous avez parlé d'une personne, et que j'ai entendu une autre[3].

70 TOINETTE. – Quoi ? Monsieur, vous auriez fait ce dessein burlesque[4] ? Et avec tout le bien[5] que vous avez, vous voudriez marier votre fille avec un médecin ?

ARGAN. – Oui. De quoi te mêles-tu, coquine, impudente[6] que tu es ?

75 TOINETTE. – Mon Dieu ! tout doux : vous allez d'abord aux invectives[7]. Est-ce que nous ne pouvons pas raisonner ensemble sans nous emporter ? Là, parlons de sang-froid. Quelle est votre raison, s'il vous plaît, pour un tel mariage ?

ARGAN. – Ma raison est que, me voyant infirme et malade comme
80 je suis, je veux me faire un gendre et des alliés[8] médecins, afin de m'appuyer de bons secours contre ma maladie, d'avoir dans ma famille les sources des remèdes qui me sont nécessaires, et d'être à même des[9] consultations et des ordonnances.

have personal doctor.

---

1. *Gendre prétendu* : futur gendre.
2. *Ébaubie* : stupéfaite (terme familier).
3. *J'ai entendu une autre* : j'ai cru qu'il s'agissait d'une autre personne.
4. *Dessein burlesque* : projet ridicule.
5. *Le bien* : la richesse.
6. *Impudente* : effrontée.
7. *Vous allez d'abord aux invectives* : vous commencez par les insultes.
8. *Alliés* : parents par alliance.
9. *Être à même des* : avoir à ma disposition les.

TOINETTE. – Hé bien ! voilà dire une raison, et il y a plaisir à se
répondre doucement les uns aux autres. Mais, Monsieur,
mettez la main à la conscience : est-ce que vous êtes malade ?

ARGAN. – Comment, coquine, si je suis malade ? si je suis
malade, impudente ?

TOINETTE. – Hé bien ! oui, Monsieur, vous êtes malade, n'ayons
point de querelle là-dessus ; oui, vous êtes fort malade, j'en
demeure d'accord, et plus malade que vous ne pensez : voilà
qui est fait. Mais votre fille doit épouser un mari pour elle ;
et, n'étant point malade[1], il n'est pas nécessaire de lui donner
un médecin.

ARGAN. – C'est pour moi que je lui donne ce médecin ; et une
fille de bon naturel doit être ravie d'épouser ce qui est utile à
la santé de son père.

TOINETTE. – Ma foi ! Monsieur, voulez-vous qu'en amie je vous
donne un conseil ?

ARGAN. – Quel est-il, ce conseil ?

TOINETTE. – De ne point songer à ce mariage-là.

ARGAN. – Hé, la raison ?

TOINETTE. – La raison ? C'est que votre fille n'y consentira point.

ARGAN. – Elle n'y consentira point ?

TOINETTE. – Non.

ARGAN. – Ma fille ?

TOINETTE. – Votre fille. Elle vous dira qu'elle n'a que faire de
Monsieur Diafoirus, ni de son fils Thomas Diafoirus, ni de
tous les Diafoirus du monde.

ARGAN. – J'en ai affaire[2], moi, outre que le parti est plus avantageux qu'on ne pense. Monsieur Diafoirus n'a que ce fils-là
pour tout héritier ; et, de plus, Monsieur Purgon, qui n'a ni
femme, ni enfants, lui donne tout son bien, en faveur de ce

---

1. *N'étant point malade* : puisqu'elle n'est pas malade.
2. *J'en ai affaire* : j'en ai besoin.

mariage ; et Monsieur Purgon est un homme qui a huit mille bonnes livres[1] de rente[2].

TOINETTE. – Il faut qu'il ait tué bien des gens, pour s'être fait si riche.

ARGAN. – Huit mille livres de rente sont quelque chose, sans compter le bien du père.

TOINETTE. – Monsieur, tout cela est bel et bon ; mais j'en reviens toujours là : je vous conseille, entre nous, de lui choisir un autre mari, et elle n'est point faite pour être Madame Diafoirus.

ARGAN. – Et je veux, moi, que cela soit.

TOINETTE. – Eh fi[3] ! ne dites pas cela.

ARGAN. – Comment, que je ne dise pas cela ?

TOINETTE. – Hé non !

ARGAN. – Et pourquoi ne le dirai-je pas ?

TOINETTE. – On dira que vous ne songez pas à ce que vous dites.

ARGAN. – On dira ce qu'on voudra ; mais je vous dis que je veux qu'elle exécute la parole que j'ai donnée.

TOINETTE. – Non : je suis sûre qu'elle ne le fera pas.

ARGAN. – Je l'y forcerai bien.

TOINETTE. – Elle ne le fera pas, vous dis-je.

ARGAN. – Elle le fera, ou je la mettrai dans un couvent.

TOINETTE. – Vous ?

ARGAN. – Moi.

TOINETTE. – Bon.

ARGAN. – Comment, « bon » ?

TOINETTE. – Vous ne la mettrez point dans un couvent.

ARGAN. – Je ne la mettrai point dans un couvent ?

TOINETTE. – Non.

ARGAN. – Non ?

---

1. *Huit mille [...] livres* : environ 80 000 euros actuels.
2. *Rente* : revenu annuel.
3. *Fi !* : interjection exprimant la désapprobation, le mépris.

TOINETTE. – Non.

145 ARGAN. – Ouais[1] ! voici qui est plaisant : je ne mettrai pas ma
fille dans un couvent, si je veux ?

TOINETTE. – Non, vous dis-je.

ARGAN. – Qui m'en empêchera ?

TOINETTE. – Vous-même.

150 ARGAN. – Moi ?

TOINETTE. – Oui, vous n'aurez pas ce cœur[2]-là.

ARGAN. – Je l'aurai.

TOINETTE. – Vous vous moquez.

ARGAN. – Je ne me moque point.

155 TOINETTE. – La tendresse paternelle vous prendra.

ARGAN. – Elle ne me prendra point.

TOINETTE. – Une petite larme ou deux, des bras jetés au cou, un
« mon petit papa mignon », prononcé tendrement, sera assez
pour vous toucher.

160 ARGAN. – Tout cela ne fera rien.

TOINETTE. – Oui, oui.

ARGAN. – Je vous dis que je n'en démordrai point.

TOINETTE. – Bagatelles[3].

ARGAN. – Il ne faut point dire « bagatelles ».

165 TOINETTE. – Mon Dieu ! je vous connais, vous êtes bon naturellement.

ARGAN, *avec emportement*. – Je ne suis point bon, et je suis
méchant quand je veux.

TOINETTE. – Doucement, Monsieur : vous ne songez pas que
170 vous êtes malade.

ARGAN. – Je lui commande absolument de se préparer à prendre
le mari que je dis.

TOINETTE. – Et moi, je lui défends absolument d'en faire rien.

---

1. Ouais : Tiens donc !
2. Cœur : courage.
3. Bagatelles : paroles. Mot qui marque l'incrédulité.

ARGAN. – Où est-ce donc que nous sommes ? et quelle audace
175   est-ce là à une coquine de servante de parler de la sorte
       devant son maître ?

TOINETTE. – Quand un maître ne songe pas à ce qu'il fait, une
       servante bien sensée[1] est en droit de le redresser[2].

ARGAN *court après Toinette.* – Ah ! insolente, il faut que je
180   t'assomme.

TOINETTE *se sauve de lui.* – Il est de mon devoir de m'opposer aux
       choses qui vous peuvent déshonorer.

ARGAN, *en colère, court après elle autour de sa chaise, son bâton à la
       main.* – Viens, viens, que je t'apprenne à parler.

185 TOINETTE, *courant, et se sauvant du côté de la chaise où n'est pas
       Argan.* – Je m'intéresse, comme je dois, à ne vous point laisser
       faire de folie.

ARGAN. – Chienne !

TOINETTE. – Non, je ne consentirai jamais à ce mariage.

190 ARGAN. – Pendarde[3] !

TOINETTE. – Je ne veux point qu'elle épouse votre Thomas
       Diafoirus.

ARGAN. – Carogne !

TOINETTE. – Et elle m'obéira plutôt qu'à vous.

195 ARGAN. – Angélique, tu ne veux pas m'arrêter cette coquine-là ?

ANGÉLIQUE. – Eh ! mon père, ne vous faites point malade[4].

ARGAN. – Si tu ne me l'arrêtes, je te donnerai ma malédiction.

TOINETTE. – Et moi, je la déshériterai, si elle vous obéit.

ARGAN *se jette dans sa chaise, étant las[5] de courir après elle.* – Ah !
200   ah ! je n'en puis plus. Voilà pour me faire mourir.

---

1. *Bien sensée* : pourvue de bon sens.
2. *Redresser* : remettre dans le droit chemin.
3. *Pendarde* : vaurienne, qui mérite d'être pendue.
4. *Ne vous faites point malade* : ne vous rendez pas malade.
5. *Las* : fatigué.

Scène 6

BÉLINE, ANGÉLIQUE, TOINETTE, ARGAN

ARGAN. – Ah ! ma femme, approchez.

BÉLINE. – Qu'avez-vous, mon pauvre mari ?

ARGAN. – Venez-vous-en ici à mon secours.

BÉLINE. – Qu'est-ce que c'est donc qu'il y a, mon petit fils[1] ?

5 ARGAN. – Mamie[2].

BÉLINE. – Mon ami.

ARGAN. – On vient de me mettre en colère !

BÉLINE. – Hélas ! pauvre petit mari. Comment donc, mon ami ?

ARGAN. – Votre coquine de Toinette est devenue plus insolente

10 que jamais.

BÉLINE. – Ne vous passionnez[3] donc point.

ARGAN. – Elle m'a fait enrager, mamie.

BÉLINE. – Doucement, mon fils.

Argan. – Elle a contrecarré, une heure durant, les choses que je

15 veux faire.

BÉLINE. – Là, là, tout doux.

ARGAN. – Et a eu l'effronterie de me dire que je ne suis point

malade.

BÉLINE. – C'est une impertinente.

20 ARGAN. – Vous savez, mon cœur, ce qui en est.

BÉLINE. – Oui, mon cœur, elle a tort.

ARGAN. – Mamour[4], cette coquine-là me fera mourir.

BÉLINE. – Eh là, eh là !

ARGAN. – Elle est cause de toute la bile que je fais.

25 BÉLINE. – Ne vous fâchez point tant.

---

1. Mon petit fils : ici, terme affectueux pour désigner Argan.

2. Mamie : mon amie.

3. Passionnez : énervez.

4. Mamour : mon amour.

ARGAN. – Et il y a je ne sais combien que je vous dis de me la chasser.

BÉLINE. – Mon Dieu ! mon fils, il n'y a point de serviteurs et de servantes qui n'aient leurs défauts. On est contraint parfois
30 de souffrir[1] leurs mauvaises qualités à cause des bonnes. Celle-ci est adroite, soigneuse, diligente[2], et surtout fidèle[3], et vous savez qu'il faut maintenant de grandes précautions pour les gens que l'on prend. Holà ! Toinette.

TOINETTE. – Madame.

35 BÉLINE. – Pourquoi donc est-ce que vous mettez mon mari en colère ?

TOINETTE, *d'un ton doucereux*[4]. – Moi, Madame, hélas ! Je ne sais pas ce que vous me voulez dire, et je ne songe qu'à complaire à Monsieur en toutes choses.   – *playing innocent*

40 ARGAN. – Ah ! la traîtresse !

TOINETTE. – Il nous a dit qu'il voulait donner sa fille en mariage au fils de Monsieur Diafoirus ; je lui ai répondu que je trouvais le parti avantageux pour elle ; mais que je croyais qu'il ferait mieux de la mettre dans un couvent.

45 BÉLINE. – Il n'y a pas grand mal à cela, et je trouve qu'elle a raison.

ARGAN. – Ah ! mamour, vous la croyez. C'est une scélérate : elle m'a dit cent insolences.

BÉLINE. – Hé bien ! je vous crois, mon ami. Là, remettez-vous.
50 Écoutez, Toinette, si vous fâchez jamais[5] mon mari, je vous mettrai dehors. Çà, donnez-moi son manteau fourré et des oreillers, que je l'accommode dans sa chaise. Vous voilà je ne sais comment. Enfoncez bien votre bonnet jusque sur vos

---

1. *Souffrir* : supporter.
2. *Diligente* : rapide et efficace.
3. *Fidèle* : ici, honnête.
4. *Doucereux* : d'une douceur trompeuse.
5. *Jamais* : un jour (s'il vous arrive un jour de fâcher).

oreilles : il n'y a rien qui enrhume tant que de prendre l'air
55 par les oreilles.

ARGAN. – Ah ! mamie, que je vous suis obligé de tous les soins
que vous prenez de moi !

BÉLINE, *accommodant les oreillers qu'elle met autour d'Argan.* – Levez-
vous, que je mette ceci sous vous. Mettons celui-ci pour vous
60 appuyer, et celui-là de l'autre côté. Mettons celui-ci derrière
votre dos, et cet autre-là pour soutenir votre tête.

TOINETTE, *lui mettant rudement un oreiller sur la tête, et puis
fuyant.* – Et celui-ci pour vous garder du serein[1].

ARGAN *se lève en colère, et jette tous les oreillers à Toinette.* – Ah !
65 coquine, tu veux m'étouffer.

BÉLINE. – Eh là, eh là ! Qu'est-ce que c'est donc ?

ARGAN, *tout essoufflé, se jette dans sa chaise.* – Ah, ah, ah ! je n'en
puis plus.

BÉLINE. – Pourquoi vous emporter ainsi ? Elle a cru faire bien.

70 ARGAN. – Vous ne connaissez pas, mamour, la malice[2] de la pendarde. Ah ! elle m'a mis tout hors de moi ; et il faudra plus
de huit médecines, et de douze lavements, pour réparer
tout ceci.

BÉLINE. – Là, là, mon petit ami, apaisez-vous un peu.

75 ARGAN. – Mamie, vous êtes toute ma consolation.

BÈLINE. – Pauvre petit fils.

ARGAN. – Pour tâcher de reconnaître l'amour que vous me
portez, je veux, mon cœur, comme je vous ai dit, faire mon
testament.

80 BÈLINE. – Ah ! mon ami, ne parlons point de cela, je vous prie :
je ne saurais souffrir cette pensée ; et le seul mot de testament
me fait tressaillir de douleur.

ARGAN. – Je vous avais dit de parler pour cela à votre notaire.

---

1. Serein : selon les médecins du XVIIe siècle, vapeur qui tombe au coucher
du soleil, et dont il faut se protéger.
2. Malice : méchanceté.

BÉLINE. – Le voilà là-dedans[1], que j'ai amené avec moi. *— she brought him already ?*

85 ARGAN. – Faites-le donc entrer, mamour.

BÉLINE. – Hélas ! mon ami, quand on aime bien un mari, on n'est guère en état de songer à tout cela.

Scène 7

LE NOTAIRE, BÉLINE, ARGAN

ARGAN. – Approchez, Monsieur de Bonnefoy, approchez. Prenez un siège, s'il vous plaît. Ma femme m'a dit, Monsieur, que vous étiez fort honnête homme, et tout à fait de ses amis ; et je l'ai chargée de vous parler pour un testament que je veux
5 faire.

BÉLINE. – Hélas ! je ne suis point capable de parler de ces choses-là.

LE NOTAIRE. – Elle m'a, Monsieur, expliqué vos intentions, et le dessein où vous êtes pour elle[2] ; et j'ai à vous dire là-dessus
10 que vous ne sauriez rien donner à votre femme par votre testament.

ARGAN. – Mais pourquoi ?

LE NOTAIRE. – La Coutume[3] y résiste. Si vous étiez en pays de droit écrit, cela se pourrait faire ; mais, à Paris, et dans les
15 pays coutumiers, au moins dans la plupart, c'est ce qui ne se

---

1. Le notaire est dans une pièce voisine.
2. *Le dessein où vous êtes pour elle* : le projet que vous avez à son sujet.
3. *Coutume* : terme juridique qui désigne le droit. Le droit coutumier (fondé sur la coutume, les usages) s'oppose au droit romain (qui s'appuie sur des documents écrits ou imprimés). Au XVIIe siècle, Paris et le nord de la France étaient considérés comme des régions de droit coutumier, à la différence du Sud, régi par le droit romain.

peut, et la disposition serait nulle. Tout l'avantage qu'homme et femme conjoints par mariage se peuvent faire l'un à l'autre, c'est un don mutuel entre vifs[1] ; encore faut-il qu'il n'y ait enfants, soit des deux conjoints, ou de l'un d'eux, lors du
20 décès du premier mourant.

ARGAN. – Voilà une Coutume bien impertinente, qu'un mari ne puisse rien laisser à une femme dont il est aimé tendrement, et qui prend de lui tant de soin. J'aurais envie de consulter mon avocat, pour voir comment je pourrais faire.

25 LE NOTAIRE. – Ce n'est point à des avocats qu'il faut aller, car ils sont d'ordinaire sévères là-dessus, et s'imaginent que c'est un grand crime que de disposer en fraude de la loi[2]. Ce sont gens de difficultés, et qui sont ignorants des détours de la conscience[3]. Il y a d'autres personnes à consulter, qui sont
30 bien plus accommodantes, qui ont des expédients[4] pour passer doucement[5] par-dessus la loi, et rendre juste ce qui n'est pas permis ; qui savent aplanir les difficultés d'une affaire, et trouver des moyens d'éluder[6] la Coutume par quelque avantage indirect. Sans cela, où en serions-nous tous les jours ? Il
35 faut de la facilité dans les choses ; autrement nous ne ferions rien, et je ne donnerais pas un sou de notre métier.

ARGAN. – Ma femme m'avait bien dit, Monsieur, que vous étiez fort habile[7], et fort honnête homme. Comment puis-je faire, s'il vous plaît, pour lui donner mon bien, et en frustrer mes
40 enfants[8] ?

---

1. *Vifs* : vivants.
2. *Disposer en fraude de la loi* : se servir de la loi de façon frauduleuse.
3. *Des détours de la conscience* : des arrangements (pour détourner la loi) dont la conscience peut s'accommoder.
4. *Expédients* : astuces.
5. *Doucement* : discrètement.
6. *Éluder* : éviter, contourner.
7. *Habile* : savant.
8. Argan veut priver ses enfants des biens qui devraient légitimement leur revenir à sa mort.

Le Notaire. – Comment vous pouvez faire ? Vous pouvez choisir doucement un ami intime de votre femme, auquel vous donnerez en bonne forme par votre testament tout ce que vous pouvez ; et cet ami ensuite lui rendra tout. Vous pouvez
45 encore contracter un grand nombre d'obligations[1], non suspectes, au profit de divers créanciers[2], qui prêteront leur nom à votre femme, et entre les mains de laquelle ils mettront leur déclaration que ce qu'ils en ont fait n'a été que pour lui faire plaisir. Vous pouvez aussi, pendant que vous êtes en vie,
50 mettre entre ses mains de l'argent comptant, ou des billets[3] que vous pourrez avoir, payables au porteur[4].

Béline. – Mon Dieu ! il ne faut point vous tourmenter de tout cela. S'il vient faute de vous[5], mon fils, je ne veux plus rester au monde.

55 Argan. – Mamie !

Béline. – Oui, mon ami, si je suis assez malheureuse pour vous perdre…

Argan. – Ma chère femme !

Béline. – La vie ne me sera plus de rien.

60 Argan. – Mamour !

Béline. – Et je suivrai vos pas, pour vous faire connaître la tendresse que j'ai pour vous.

Argan. – Mamie, vous me fendez le cœur. Consolez-vous, je vous en prie.

65 Le Notaire. – Ces larmes sont hors de saison[6], et les choses n'en sont point encore là.

---

1. *Obligations* : reconnaissances de dettes.
2. *Créanciers* : personnes qui prêtent de l'argent.
3. *Billets* : reconnaissances de dettes.
4. *Payables au porteur* : payables à celui qui est en possession du billet.
5. *S'il vient faute de vous* : si vous venez à mourir.
6. *Hors de saison* : hors de propos.

BÉLINE. – Ah ! Monsieur, vous ne savez pas ce que c'est qu'un mari qu'on aime tendrement.

ARGAN. – Tout le regret que j'aurai, si je meurs, mamie, c'est de
70 n'avoir point un enfant de vous. Monsieur Purgon m'avait dit qu'il m'en ferait faire un.

LE NOTAIRE. – Cela pourra venir encore.

ARGAN. – Il faut faire mon testament, mamour, de la façon que Monsieur dit ; mais, par précaution, je veux vous mettre entre
75 les mains vingt mille francs en or, que j'ai dans le lambris de mon alcôve[1], et deux billets payables au porteur, qui me sont dus, l'un par Monsieur Damon, et l'autre par Monsieur Gérante.

BÉLINE. – Non, non, je ne veux point de tout cela. Ah ! combien
80 dites-vous qu'il y a dans votre alcôve ?

ARGAN. – Vingt mille francs, mamour.

BÉLINE. – Ne me parlez point de bien, je vous prie. Ah ! de combien sont les deux billets ?

ARGAN. – Ils sont, ma mie, l'un de quatre mille francs, et l'autre
85 de six.

BÉLINE. – Tous les biens du monde, mon ami, ne me sont rien au prix de vous.

LE NOTAIRE. – Voulez-vous que nous procédions au testament ?

ARGAN. – Oui, Monsieur, mais nous serons mieux dans mon
90 petit cabinet[2]. Mamour, conduisez-moi, je vous prie.

BÉLINE. – Allons, mon pauvre petit fils.

---

1. *Le lambris de mon alcôve* : le revêtement en bois de ma chambre.
2. *Cabinet* : petite pièce pour travailler ou converser entre intimes.

Scène 8

ANGÉLIQUE, TOINETTE

TOINETTE. – Les voilà avec un notaire, et j'ai ouï parler[1] de testament. Votre belle-mère ne s'endort point[2], et c'est sans doute quelque conspiration contre vos intérêts où elle pousse votre père.

5 ANGÉLIQUE. – Qu'il dispose de son bien à sa fantaisie, pourvu qu'il ne dispose point de mon cœur. Tu vois, Toinette, les desseins violents que l'on fait sur lui. Ne m'abandonne point, je te prie, dans l'extrémité[3] où je suis.

TOINETTE. – Moi, vous abandonner ? j'aimerais mieux mourir.
10 Votre belle-mère a beau me faire sa confidente, et me vouloir jeter dans ses intérêts, je n'ai jamais pu avoir d'inclination pour elle, et j'ai toujours été de votre parti. Laissez-moi faire : j'emploierai toute chose pour vous servir ; mais pour vous servir avec plus d'effet, je veux changer de batterie[4], couvrir
15 le zèle que j'ai pour vous[5], et feindre[6] d'entrer dans les sentiments de votre père et de votre belle-mère.

ANGÉLIQUE. – Tâche, je t'en conjure, de faire donner avis à[7] Cléante du mariage qu'on a conclu.

---

1. *J'ai ouï parler* : j'ai entendu parler.
2. *Votre belle-mère ne s'endort point* : Toinette fait remarquer à Angélique que Béline n'oublie jamais son intérêt, et ne manque pas une occasion de persuader Argan de déshériter la jeune femme pour son propre avantage.
3. *Extrémité* : triste situation.
4. *Je veux changer de batterie* : je veux me servir d'un autre moyen pour réussir.
5. *Couvrir le zèle que j'ai pour vous* : cacher la grande affection que j'ai pour vous.
6. *Feindre* : faire semblant.
7. *Faire donner avis à* : prévenir, informer.

TOINETTE. – Je n'ai personne à employer à cet office, que le vieux
20   usurier[1] Polichinelle[2], mon amant, et il m'en coûtera pour
cela quelques paroles de douceur, que je veux bien dépenser
pour vous. Pour aujourd'hui il est trop tard ; mais demain, du
grand matin, je l'enverrai quérir[3], et il sera ravi de...
BÉLINE. – Toinette !
25 TOINETTE. – Voilà qu'on m'appelle. Bonsoir. Reposez-vous sur
moi.

Le théâtre change et représente une ville.

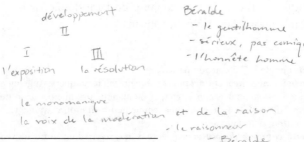

développement
II

I   III
l'exposition   la résolution

le monomaniaque
la voix de la modération et de la raison
      – le raisonneur
            – Béralde

Béralde
– le gentilhomme
– sérieux, pas comique
– l'honnête homme

---

1. Usurier : personne spécialisée dans le prêt d'argent, dont elle attend en
retour des intérêts.
2. Polichinelle, l'amant de Toinette, est un personnage issu de la *commedia
dell'arte*.
3. Quérir : chercher.

Toinette → un personnage comique
le bon sens commun
sarcasme
ironie

PREMIER INTERMÈDE

Polichinelle, dans la nuit, vient pour donner une sérénade[1] à sa maî-
tresse[2]. Il est interrompu d'abord par des violons, contre lesquels il se met
en colère, et ensuite par le Guet[3], composé de musiciens et de danseurs.

POLICHINELLE

Ô amour, amour, amour, amour ! Pauvre Polichinelle, quelle
diable de fantaisie[4] t'es-tu allé mettre dans la cervelle ? À quoi
t'amuses-tu, misérable insensé que tu es ? Tu quittes le soin de ton
négoce, et tu laisses aller tes affaires à l'abandon. Tu ne manges
5 *plus, tu ne bois presque plus, tu perds le repos de la nuit ; et tout*
cela pour qui ? Pour une dragonne[5], franche dragonne, une dia-
blesse qui te rembarre, et se moque de tout ce que tu peux lui dire.
Mais il n'y a point à raisonner là-dessus. Tu le veux, amour : il
faut être fou comme beaucoup d'autres. Cela n'est pas le mieux du
10 *monde à[6] un homme de mon âge ; mais qu'y faire ? On n'est pas*
sage quand on veut, et les vieilles cervelles se démontent comme
les jeunes.

Je viens voir si je ne pourrai point adoucir ma tigresse par une
sérénade. Il n'y a rien parfois qui soit si touchant qu'un amant

---

1. Sérénade : chanson d'amour.
2. Sa maîtresse : la femme qu'il aime.
3. Guet : patrouille chargée de surveiller la ville pendant la nuit.
4. Fantaisie : ici, extravagance, lubie.
5. Dragonne : méchante femme.
6. À : pour.

15 *qui vient chanter ses doléances[1] aux gonds et aux verrous de la*
porte de sa maîtresse. Voici de quoi accompagner ma voix. Ô
nuit : ô chère nuit ! porte mes plaintes amoureuses jusque dans le
lit de mon inflexible[2].

Il chante ces paroles :

[TRADUCTION]

Notte e dì v'amo e v'adoro,	*Nuit et jour, je vous aime et [vous adore.*
20 *Cerco un sì per mio ristoro ;*	*Je demande un oui pour mon [réconfort ;*
Ma se voi dite di no,	*Mais si vous dites un non,*
Bell' ingrata, io morirò.	*Belle ingrate, je mourrai.*
Fra la speranza	*Au sein de l'espérance,*
S'affligge il cuore,	*Le cœur s'afflige,*
25 *In lontananza*	*Dans l'absence,*
Consuma l'hore ;	*Il consume tristement les [heures.*
Si dolce inganno	*Ah ! la douce illusion*
Che mi figura	*Qui me fait apercevoir*
Breve l'affanno	*La fin prochaine de mon [tourment*
30 *Ahi ! troppo dura !*	*Dure trop longtemps.*
Cosi per tropp'amar languisco [e muoro.	*Pour trop vous aimer, [Je languis, je meurs.*
Notte e dì v'amo e v'adoro,	*Nuit et jour, je vous aime et [vous adore.*

---

1. Doléances : plaintes.
2. Mon inflexible : désigne Toinette, qui ne se laisse pas émouvoir par les tentatives de séduction de Polichinelle.

Cerco un sì per mio ristoro ;	Je demande un oui pour mon [réconfort ;
Ma se voi dite di no,	Mais si vous dites un non,
35 Bell' ingrata, io morirò.	Belle ingrate, je mourrai.
Se non dormite,	Si vous ne dormez pas,
Almen pensate	Au moins pensez
Alle ferite	Aux blessures
Ch'al cuor mi fate ;	Que vous faites à mon cœur ;
40 Deh ! almen fingete,	Si vous me faites périr, ah !
Per mio conforto,	Pour ma consolation,
Se m'uccidete,	Feignez au moins
D'haver il torto :	De vous le reprocher ;
Vostra pietà mi scemerà il [martoro.	Votre pitié diminuera mon [martyre.
45 Notte e dì v'amo e v'adoro,	Nuit et jour, je vous aime et [vous adore.
Cerco un sì per mio ristoro ;	Je demande un oui pour mon [réconfort ;
Ma se voi dite di no,	Mais si vous dites un non,
Bell' ingrata, io morirò.	Belle ingrate, je mourrai.

UNE VIEILLE *se présente à la fenêtre,*
et répond au signor Polichinelle en se moquant de lui.

Zerbinetti, ch'ogn' hor con [finti sguardi,	Petits galants, qui à chaque [instant avec des regards [trompeurs,
50 Mentiti desiri,	Des désirs mensongers,
Fallaci sospiri,	Des soupirs fallacieux,
Accenti buggiardi,	Et des serments perfides,
Di fede vi pregiate,	Vous vantez d'être fidèles ;
Ah ! che non m'ingannate,	Ah ! vous ne me trompez plus.

55 *Che già so per prova*
Ch'in voi non si trova
Constanza ne fede :
Oh ! quanto è pazza colei che
  [vi crede !

Quei sguardi languidi
60 *Non m'innamorano,*
Quei sospir fervidi
Più non m'infiammano,
Vel giuro a fè.
Zerbino misero,
65 *Del vostro piangere*
Il mio cor libero
Vuol sempre ridere,
Credet' a me :
Che già so per prova
70 *Ch' in voi non si trova*
Constanza ne fede :
Oh ! quanto è pazza colei che
  [vi crede !

Je sais par expérience,
Qu'on ne trouve en vous
Ni constance ni foi.
Oh ! combien est folle celle qui
  [vous croit !

Ces regards languissants
Ne m'attendrissent plus ;
Ces soupirs brûlants
Ne m'enflamment plus,
Je vous le jure sur ma foi.
Pauvre galant,
Mon cœur rendu à la liberté
Veut toujours rire de vos
  [plaintes :
Croyez-moi,
Je sais par expérience,
Qu'on ne trouve en vous
Ni constance ni foi.
Oh ! combien est folle celle qui
  [vous croit[1] !

(VIOLONS.)

POLICHINELLE

Quelle impertinente harmonie vient interrompre ici ma voix[2] ?

(VIOLONS.)

POLICHINELLE

Paix là, taisez-vous, violons. Laissez-moi me plaindre à mon aise
75 *des cruautés de mon inexorable[3].*

(VIOLONS.)

---

1. Édition de Louis-Simon Auger des *Œuvres* de Molière (v. 1819) pour la traduction de l'italien.
2. Toutes les fois qu'il s'apprête à chanter, les violons l'en empêchent en se mettant à jouer.
3. *Mon inexorable* : équivalent de « mon inflexible » (voir note 2, p. 72).

POLICHINELLE
Taisez-vous, vous dis-je. C'est moi qui veux chanter.
(VIOLONS.)

POLICHINELLE
Paix donc !

(VIOLONS.)

POLICHINELLE
Ouais !

(VIOLONS.)

POLICHINELLE
Ahi !

(VIOLONS.)

POLICHINELLE
80 *Est-ce pour rire ?*

(VIOLONS.)

POLICHINELLE
Ah ! que de bruit !

(VIOLONS.)

POLICHINELLE
Le diable vous emporte !

(VIOLONS.)

POLICHINELLE
J'enrage.

(VIOLONS.)

POLICHINELLE
Vous ne vous tairez pas ? Ah ! Dieu soit loué !
(VIOLONS.)

POLICHINELLE

85 *Encore ?*

(VIOLONS.)

POLICHINELLE

Peste des violons !

(VIOLONS.)

POLICHINELLE

La sotte musique que voilà !

(VIOLONS.)

POLICHINELLE

La, la, la, la, la, la.

(VIOLONS.)

POLICHINELLE

La, la, la, la, la, la.

(VIOLONS.)

POLICHINELLE

90 *La, la, la, la, la, la, la, la.*

(VIOLONS.)

POLICHINELLE

La, la, la, la, la.

(VIOLONS.)

POLICHINELLE

La, la, la, la, la, la.

(VIOLONS.)

POLICHINELLE, *avec un luth[1], dont il ne joue que des lèvres*
et de la langue, en disant : plin pan plan, etc.
Par ma foi ! cela me divertit. Poursuivez, Messieurs les Violons,
vous me ferez plaisir. Allons donc, continuez, je vous en prie.

---

1. *Luth* : instrument de musique à cordes.

95 *Voilà le moyen de les faire taire. La musique est accoutumée à ne*
point faire ce qu'on veut. Ho sus[1], à nous! Avant que de chanter,
il faut que je prélude[2] un peu, et joue quelque pièce, afin de mieux
prendre mon ton. Plan, plan, plan. Plin, plin, plin. *Voilà un temps*
fâcheux pour mettre un luth d'accord[3]. Plin, plin, plin. Plin tan
100 plan. Plin, plin. *Les cordes ne tiennent point par ce temps-là.* Plin,
plan. *J'entends du bruit, mettons mon luth contre la porte.*

ARCHERS[4], *passant dans la rue,*
accourent au bruit qu'ils entendent et demandent :
Qui va là, qui va là ?

POLICHINELLE, *tout bas.*
Qui diable est-ce là ? Est-ce que c'est la mode de parler en
musique ?

ARCHERS
105 *Qui va là, qui va là, qui va là ?*

POLICHINELLE, *épouvanté.*
Moi, moi, moi.

ARCHERS
Qui va là, qui va là ? vous dis-je.

POLICHINELLE
Moi, moi, vous dis-je.

ARCHERS
Et qui toi ? et qui toi ?

---

1. *Ho sus* : allons !
2. *Prélude* : prépare ma voix.
3. *Pour mettre un luth d'accord* : pour accorder un luth (voir note 1,
p. 76).
4. *Archers* : gendarmes.

POLICHINELLE

110 *Moi, moi, moi, moi, moi, moi.*

ARCHERS

Dis ton nom, dis ton nom, sans davantage attendre.

POLICHINELLE, *feignant[1] d'être bien hardi.*
Mon nom est : « Va te faire pendre. »

ARCHERS

Ici, camarades, ici.
Saisissons l'insolent qui nous répond ainsi.

Entrée de ballet

Tout le Guet vient, qui cherche Polichinelle dans la nuit.
(VIOLONS ET DANSEURS.)

POLICHINELLE

115 *Qui va là ?*

(VIOLONS ET DANSEURS.)

POLICHINELLE

Qui sont les coquins que j'entends ?
(VIOLONS ET DANSEURS.)

POLICHINELLE

Euh ?

(VIOLONS ET DANSEURS.)

POLICHINELLE

Holà, mes laquais, mes gens !
(VIOLONS ET DANSEURS.)

---

1. Feignant : faisant semblant (du verbe « feindre »).

POLICHINELLE

Par la mort !

(VIOLONS ET DANSEURS.)

POLICHINELLE

120   *Par le sang[1] !*

(VIOLONS ET DANSEURS.)

POLICHINELLE

J'en jetterai par terre.

(VIOLONS ET DANSEURS.)

POLICHINELLE

Champagne, Poitevin, Picard, Basque, Breton[2] !

(VIOLONS ET DANSEURS.)

POLICHINELLE

Donnez-moi mon mousqueton[3].

(VIOLONS ET DANSEURS.)

POLICHINELLE *tire un coup de pistolet.*

Poue.

Ils tombent tous et s'enfuient.

POLICHINELLE, *en se moquant.*

125 *Ah ! ah ! ah ! ah ! comme je leur ai donné l'épouvante[4] ! Voilà de sottes gens d'avoir peur de moi, qui ai peur des autres. Ma foi ! il n'est que de jouer d'adresse[5] en ce monde. Si je n'avais tranché*

---

1. *Par la mort ! par le sang !* : jurons.
2. *Champagne, [...] Breton* : Polichinelle invente des serviteurs imaginaires qu'il nomme par leur région d'origine.
3. *Mousqueton* : pistolet.
4. *Comme je leur ai donné l'épouvante* : comme je leur ai fait peur.
5. *Il n'est que de jouer d'adresse* : il suffit d'être astucieux.

du[1] grand seigneur, et n'avais fait le brave, ils n'auraient pas
manqué de me happer[2]. Ah ! ah ! ah !

> *Les archers se rapprochent, et ayant entendu ce*
> *qu'il disait, ils le saisissent au collet.*

ARCHERS

130 *Nous le tenons. À nous, camarades, à nous.*
> *Dépêchez, de la lumière.*

Ballet

Tout le Guet vient avec des lanternes.

ARCHERS

> *Ah ! traître ! ah ! fripon ! c'est donc vous ?*
> *Faquin, maraud, pendard[3], impudent, téméraire,*
> *Insolent, effronté, coquin, filou, voleur,*
135   *Vous osez nous faire peur ?*

POLICHINELLE
> *Messieurs, c'est que j'étais ivre.*

ARCHERS
> *Non, non, non, point de raison ;*
> *Il faut vous apprendre à vivre.*
> *En prison, vite, en prison.*

---

1. *Tranché du* : joué le.
2. *Me happer* : m'attraper.
3. *Faquin, maraud, pendard* : injures méprisantes. Un ***faquin*** est un
homme qui commet des actions honteuses ; un ***maraud*** est un homme de
basse condition, un fripon ; et un ***pendard*** est un vaurien, un individu qui
mérite d'être pendu.

POLICHINELLE

140 *Messieurs, je ne suis point voleur.*

ARCHERS

En prison.

POLICHINELLE

Je suis un bourgeois de la ville.

ARCHERS

En prison.

POLICHINELLE

Qu'ai-je fait ?

ARCHERS

145 *En prison, vite, en prison.*

POLICHINELLE

Messieurs, laissez-moi aller.

ARCHERS

Non.

POLICHINELLE

Je vous prie.

ARCHERS

Non.

POLICHINELLE

150 *Eh !*

ARCHERS

Non.

POLICHINELLE

De grâce.

ARCHERS

Non, non.

POLICHINELLE

Messieurs.

ARCHERS

155 *Non, non, non.*

POLICHINELLE

S'il vous plaît.

ARCHERS

Non, non.

POLICHINELLE

Par charité.

ARCHERS

Non, non.

POLICHINELLE

160 *Au nom du Ciel !*

ARCHERS

Non, non.

POLICHINELLE

Miséricorde !

ARCHERS

Non, non, non, point de raison ;
Il faut vous apprendre à vivre.
165 *En prison, vite, en prison.*

POLICHINELLE

Hé ! n'est-il rien, Messieurs, qui soit capable d'attendrir vos âmes ?

Il est aisé de nous toucher,
Et nous sommes humains plus qu'on ne saurait croire ;
Donnez-nous doucement six pistoles[1] pour boire,
170 *Nous allons vous lâcher.*

POLICHINELLE

Hélas ! Messieurs, je vous assure que je n'ai pas un sou sur moi.

ARCHERS

Au défaut de six pistoles,
Choisissez donc sans façon
D'avoir trente croquignoles[2]
175 *Ou douze coups de bâton.*

POLICHINELLE

Si c'est une nécessité, et qu'il faille en passer par là, je choisis
les croquignoles.

ARCHERS

Allons, préparez-vous,
Et comptez bien les coups.

Ballet

Les Archers danseurs lui donnent des croquignoles en cadence.

POLICHINELLE

180 *Un et deux, trois et quatre, cinq et six, sept et huit, neuf et dix,*
onze et douze, et treize, et quatorze, et quinze.

---

1. Pistoles : pièces d'or frappées en Espagne ou en Italie.
2. Croquignoles : coups sur la tête.

ARCHERS

Ah ! ah ! vous en voulez passer :
Allons, c'est à recommencer.

POLICHINELLE

Ah ! Messieurs, ma pauvre tête n'en peut plus, et vous venez de
185 *me la rendre comme une pomme cuite. J'aime mieux encore les*
coups de bâton que de recommencer.

ARCHERS

Soit ! puisque le bâton est pour vous plus charmant,
Vous aurez contentement.

Ballet

Les Archers danseurs lui donnent des coups de bâton en cadence.

POLICHINELLE

Un, deux, trois, quatre, cinq, six, ah ! ah ! ah ! je n'y saurais plus
190 *résister. Tenez, Messieurs, voilà six pistoles que je vous donne.*

ARCHERS

Ah ! l'honnête homme ! Ah ! l'âme noble et belle !
Adieu, seigneur, adieu, seigneur Polichinelle.

POLICHINELLE

Messieurs, je vous donne le bonsoir.

ARCHERS

Adieu, seigneur, adieu, seigneur Polichinelle.

POLICHINELLE

195 *Votre serviteur.*

Adieu, seigneur, adieu, seigneur Polichinelle.

POLICHINELLE

Très humble valet.

ARCHERS

Adieu, seigneur, adieu, seigneur Polichinelle.

POLICHINELLE

Jusqu'au revoir.

Ballet

Ils dansent tous, en réjouissance de l'argent qu'ils ont reçu.
Le théâtre change et représente la même chambre.

ACTE II

Scène première

TOINETTE, CLÉANTE

TOINETTE. – Que demandez-vous, Monsieur ?

CLÉANTE. – Ce que je demande ?

TOINETTE. – Ah ! ah ! c'est vous ? Quelle surprise ! Que venez-vous faire céans[1] ?

5 CLÉANTE. – Savoir ma destinée, parler à l'aimable Angélique, consulter les sentiments de son cœur, et lui demander ses résolutions sur ce mariage fatal dont on m'a averti.

TOINETTE. – Oui, mais on ne parle pas comme cela de but en blanc à Angélique : il faut des mystères[2], et l'on vous a dit

10 l'étroite garde où elle est retenue, qu'on ne la laisse ni sortir, ni parler à personne, et que ce ne fut que la curiosité d'une vieille tante qui nous fit accorder la liberté d'aller à cette comédie qui donna lieu à la naissance de votre passion ; et nous nous sommes bien gardées de parler de cette aventure.

15 CLÉANTE. – Aussi ne viens-je pas ici comme Cléante et sous l'apparence de son amant, mais comme ami de son maître de

---

1. *Céans* : ici.
2. *Il faut des mystères* : il faut agir en secret, discrètement.

musique, dont j'ai obtenu le pouvoir de dire qu'il m'envoie
à sa place.

TOINETTE. – Voici son père. Retirez-vous un peu, et me laissez[1]
20   lui dire que vous êtes là.

Scène 2

ARGAN, TOINETTE, CLÉANTE

ARGAN. – Monsieur Purgon m'a dit de me promener le matin
dans ma chambre, douze allées, et douze venues ; mais j'ai
oublié à lui demander si c'est en long, ou en large.

TOINETTE. – Monsieur, voilà un…

5 ARGAN. – Parle bas, pendarde : tu viens m'ébranler[2] tout le cerveau, et tu ne songes pas qu'il ne faut point parler si haut à
des malades.

TOINETTE. – Je voulais vous dire, Monsieur…

ARGAN. – Parle bas, te dis-je.

10 TOINETTE. – Monsieur…

Elle fait semblant de parler.

ARGAN. – Eh ?

TOINETTE. – Je vous dis que…

Elle fait semblant de parler.

ARGAN. – Qu'est-ce que tu dis ?

TOINETTE, *haut.* – Je dis que voilà un homme qui veut parler à
15   vous.

---

1. Me laissez : laissez-moi.
2. M'ébranler : me secouer.

Argan. – Qu'il vienne.

Toinette fait signe à Cléante d'avancer.

Cléante. – Monsieur…

Toinette, *raillant.* – Ne parlez pas si haut, de peur d'ébranler le cerveau de Monsieur.

20 Cléante. – Monsieur, je suis ravi de vous trouver debout et de voir que vous vous portez mieux.

Toinette, *feignant d'être en colère.* – Comment « qu'il se porte mieux » ? Cela est faux : Monsieur se porte toujours mal.

Cléante. – J'ai ouï dire que Monsieur était mieux, et je lui trouve 25 bon visage.

Toinette. – Que voulez-vous dire avec votre bon visage ? Monsieur l'a fort mauvais, et ce sont des impertinents qui vous ont dit qu'il était mieux. Il ne s'est jamais si mal porté.

Argan. – Elle a raison.

30 Toinette. – Il marche, dort, mange, et boit tout comme les autres ; mais cela n'empêche pas qu'il ne soit fort malade.

Argan. – Cela est vrai.

Cléante. – Monsieur, j'en suis au désespoir. Je viens de la part du maître à chanter de Mademoiselle votre fille. Il s'est vu 35 obligé d'aller à la campagne pour quelques jours ; et comme son ami intime[1], il m'envoie à sa place, pour lui continuer ses leçons, de peur qu'en les interrompant elle ne vînt à oublier ce qu'elle sait déjà.

Argan. – Fort bien. Appelez Angélique.

40 Toinette. – Je crois, Monsieur, qu'il sera mieux de mener Monsieur à sa chambre.

Argan. – Non ; faites-la venir.

Toinette. – Il ne pourra lui donner leçon comme il faut, s'ils ne sont en particulier[2].

---

1. *Comme son ami intime* : puisque je suis son ami intime.
2. *En particulier* : en tête à tête.

45 ARGAN. – Si fait, si fait.

TOINETTE. – Monsieur, cela ne fera que vous étourdir, et il ne faut rien pour vous émouvoir en l'état où vous êtes, et vous ébranler le cerveau.

ARGAN. – Point, point : j'aime la musique, et je serai bien aise
50 de... Ah ! la voici. Allez-vous-en voir, vous, si ma femme est habillée.

Scène 3

ARGAN, ANGÉLIQUE, CLÉANTE

ARGAN. – Venez, ma fille : votre maître de musique est allé aux champs, et voilà une personne qu'il envoie à sa place pour vous montrer[1].

ANGÉLIQUE. – Ah, Ciel !

5 ARGAN. – Qu'est-ce ? d'où vient cette surprise ?

ANGÉLIQUE. – C'est...

ARGAN. – Quoi ? qui[2] vous émeut de la sorte ?

ANGÉLIQUE. – C'est mon père, une aventure surprenante qui se rencontre ici.

10 ARGAN. – Comment ?

ANGÉLIQUE. – J'ai songé[3] cette nuit que j'étais dans le plus grand embarras du monde, et qu'une personne faite tout comme Monsieur s'est présentée à moi, à qui j'ai demandé secours, et qui m'est venue tirer de la peine où j'étais ; et ma surprise

---

1. *Pour vous montrer* : pour vous donner une leçon de musique.
2. *Qui* : qu'est-ce qui ?
3. *J'ai songé* : j'ai rêvé.

15   a été grande de voir inopinément[1], en arrivant ici, ce que j'ai
       eu dans l'idée toute la nuit.

CLÉANTE. – Ce n'est pas être malheureux que d'occuper votre
       pensée, soit en dormant, soit en veillant, et mon bonheur
       serait grand sans doute si vous étiez dans quelque peine dont
20   vous me jugeassiez[2] digne de vous tirer ; et il n'y a rien que
       je ne fisse pour…

Scène 4

TOINETTE, CLÉANTE, ANGÉLIQUE, ARGAN

TOINETTE, *par dérision.* – Ma foi, Monsieur, je suis pour vous
       maintenant, et je me dédis[3] de tout ce que je disais hier. Voici
       Monsieur Diafoirus le père, et Monsieur Diafoirus le fils, qui
       viennent vous rendre visite. Que vous serez bien engendré[4] !
5   Vous allez voir le garçon le mieux fait du monde, et le plus
       spirituel. Il n'a dit que deux mots, qui m'ont ravie, et votre
       fille va être charmée de lui.

ARGAN, *à Cléante, qui feint de vouloir s'en aller.* – Ne vous en allez
       point, Monsieur. C'est que je marie ma fille ; et voilà qu'on
10   lui amène son prétendu mari[5], qu'elle n'a point encore vu.

CLÉANTE. – C'est m'honorer beaucoup, Monsieur, de vouloir que
       je sois témoin d'une entrevue si agréable.

ARGAN. – C'est le fils d'un habile médecin, et le mariage se fera
       dans quatre jours.

---

1. *Inopinément* : de façon inattendue.
2. *Jugeassiez* : subjonctif imparfait du verbe « juger ».
3. *Je me dédis* : je reviens sur mes paroles, je les désapprouve.
4. *Que vous serez bien engendré !* : quel beau gendre vous aurez !
5. *Son prétendu mari* : son fiancé.

15 CLÉANTE. – Fort bien.

ARGAN. – Mandez-le[1] un peu à son maître de musique, afin qu'il se trouve à la noce.

CLÉANTE. – Je n'y manquerai pas.

ARGAN. – Je vous y prie aussi.

20 CLÉANTE. – Vous me faites beaucoup d'honneur.

TOINETTE. – Allons, qu'on se range, les voici.

Scène 5

MONSIEUR DIAFOIRUS, THOMAS DIAFOIRUS, ARGAN, ANGÉLIQUE, CLÉANTE, TOINETTE

ARGAN, *mettant la main à son bonnet sans l'ôter*. – Monsieur Purgon, Monsieur, m'a défendu de découvrir ma tête. Vous êtes du métier, vous savez les conséquences.

MONSIEUR DIAFOIRUS. – Nous sommes dans toutes nos visites
5   pour[2] porter secours aux malades, et non pour leur porter de l'incommodité.

ARGAN. – Je reçois, Monsieur…

> *Ils parlent tous deux en même temps, s'interrompent et confondent.*

MONSIEUR DIAFOIRUS. – Nous venons ici, Monsieur…

ARGAN. – Avec beaucoup de joie…

10 MONSIEUR DIAFOIRUS. – Mon fils Thomas, et moi…

ARGAN. – L'honneur que vous me faites…

MONSIEUR DIAFOIRUS. – Vous témoigner, Monsieur…

ARGAN. – Et j'aurais souhaité…

---

1. *Mandez-le* : faites-le savoir.
2. *Nous sommes [...] pour* : nous devons.

Monsieur Diafoirus. – Le ravissement où nous sommes…

15 Argan. – De pouvoir aller chez vous…

Monsieur Diafoirus. – De la grâce que vous nous faites…

Argan. – Pour vous en assurer…

Monsieur Diafoirus. – De vouloir bien nous recevoir…

Argan. – Mais vous savez, Monsieur…

20 Monsieur Diafoirus. – Dans l'honneur, Monsieur…

Argan. – Ce que c'est qu'un pauvre malade…

Monsieur Diafoirus. – De votre alliance[1]…

Argan. – Qui ne peut faire autre chose…

Monsieur Diafoirus. – Et vous assurer…

25 Argan. – Que de vous dire ici…

Monsieur Diafoirus. – Que dans les choses qui dépendront de notre métier…

Argan. – Qu'il cherchera toutes les occasions…

Monsieur Diafoirus. – De même qu'en toute autre…

30 Argan. – De vous faire connaître, Monsieur…

Monsieur Diafoirus. – Nous serons toujours prêts, Monsieur…

Argan. – Qu'il est tout à votre service…

Monsieur Diafoirus. – À vous témoigner notre zèle. *(Il se retourne vers son fils et lui dit :)* Allons, Thomas, avancez. Faites

35 vos compliments.

Thomas Diafoirus *est un grand benêt[2], nouvellement sorti des Écoles, qui fait toutes choses de mauvaise grâce[3] et à contretemps.* – N'est-ce pas par le père qu'il convient commencer ?

Monsieur Diafoirus. – Oui.

40 Thomas Diafoirus. – Monsieur, je viens saluer, reconnaître, chérir, et révérer en vous un second père ; mais un second père auquel j'ose dire que je me trouve plus redevable qu'au

---

1. De votre alliance : de l'union qui va s'établir entre nos deux familles (grâce au mariage).

2. Benêt : sot, qui n'est pas encore habitué aux usages de la société.

3. De mauvaise grâce : maladroitement.

premier. Le premier m'a engendré[1] ; mais vous m'avez choisi.
Il m'a reçu par nécessité ; mais vous m'avez accepté par grâce.
45 Ce que je tiens de lui est un ouvrage de son corps, mais ce
que je tiens de vous est un ouvrage de votre volonté ; et
d'autant plus que les facultés spirituelles sont au-dessus des
corporelles, d'autant plus je vous dois, et d'autant plus je
tiens précieuse cette future filiation[2], dont je viens
50 aujourd'hui vous rendre par avance les très humbles et très
respectueux hommages.

TOINETTE. – Vivent les collèges, d'où l'on sort si habile homme !

THOMAS DIAFOIRUS. – Cela a-t-il bien été, mon père ?

MONSIEUR DIAFOIRUS. – *Optime*[3].

55 ARGAN, *à Angélique*. – Allons, saluez Monsieur.

THOMAS DIAFOIRUS. – Baiserai-je[4] ?

MONSIEUR DIAFOIRUS. – Oui, oui.   *thinks that she is Béline.*

THOMAS DIAFOIRUS, *à Angélique*. – Madame, c'est avec justice que
le Ciel vous a concédé le nom de belle-mère, puisque l'on…

60 ARGAN. – Ce n'est pas ma femme, c'est ma fille à qui vous parlez.

THOMAS DIAFOIRUS. – Où donc est-elle ?

ARGAN. – Elle va venir.

THOMAS DIAFOIRUS. – Attendrai-je, mon père, qu'elle soit
venue ?

65 MONSIEUR DIAFOIRUS. – Faites toujours le compliment de Mademoiselle.

THOMAS DIAFOIRUS. – Mademoiselle, ne plus ne moins[5] que la
statue de Memnon[6] rendait un son harmonieux, lorsqu'elle

---

1. M'a engendré : m'a donné naissance.

2. Filiation : lien de parenté entre un père et son fils. En épousant Angélique, Thomas sera considéré comme le fils d'Argan.

3. Optime : très bien, en latin.

4. Baiserai-je ? : lui donnerai-je un baiser (sur la joue) ? Le baiser est une
marque de politesse.

5. Ne plus ne moins : ni plus ni moins (« ne » pour « ni » est un archaïsme et
un trait de langue campagnard).

6. Statue de Memnon : statue dont une légende de l'Antiquité disait qu'elle
chantait au lever du soleil.

venait à être éclairée des rayons du soleil : tout de même me
70 sens-je animé d'un doux transport[1] à l'apparition du soleil de
vos beautés. Et comme les naturalistes remarquent que la
fleur nommée héliotrope tourne sans cesse vers cet astre du
jour, aussi mon cœur dores-en-avant[2] tournera-t-il toujours
vers les astres resplendissants de vos yeux adorables, ainsi
75 que vers son pôle unique. Souffrez donc, Mademoiselle, que
j'appende[3] aujourd'hui à l'autel de vos charmes l'offrande de
ce cœur, qui ne respire et n'ambitionne autre gloire que d'être
toute sa vie, Mademoiselle, votre très humble, très obéissant
et très fidèle serviteur et mari.

80 TOINETTE, *en le raillant.* – Voilà ce que c'est que d'étudier, on
apprend à dire de belles choses.

ARGAN. – Eh ! que dites-vous de cela ?

CLÉANTE. – Que Monsieur fait merveilles, et que s'il est aussi bon
médecin qu'il est bon orateur[4], il y aura plaisir à être de ses
85 malades.

TOINETTE. – Assurément. Ce sera quelque chose d'admirable s'il
fait d'aussi belles cures[5] qu'il fait de beaux discours.

ARGAN. – Allons vite, ma chaise, et des sièges à tout le monde.
Mettez-vous là, ma fille. Vous voyez, Monsieur, que tout le
90 monde admire Monsieur votre fils, et je vous trouve bien heureux de vous voir un garçon comme cela.

MONSIEUR DIAFOIRUS. – Monsieur, ce n'est pas parce que je suis
son père, mais je puis dire que j'ai sujet d'être content de lui, et
que tous ceux qui le voient en parlent comme d'un garçon qui
95 n'a point de méchanceté. Il n'a jamais eu l'imagination bien
vive, ni ce feu d'esprit qu'on remarque dans quelques-uns ; mais

not quick on his feet

---

1. *Doux transport* : sentiment amoureux.
2. *Dores-en-avant* : dorénavant, désormais.
3. *Appende* : attache.
4. *Bon orateur* : doué pour les discours.
5. *Cures* : soins, traitements.

c'est par là que j'ai toujours bien auguré de sa judiciaire[1], qualité requise pour l'exercice de notre art. Lorsqu'il était petit, il n'a jamais été ce qu'on appelle mièvre[2] et éveillé. On

100 le voyait toujours doux, paisible, et taciturne[3], ne disant jamais mot, et ne jouant jamais à tous ces petits jeux que l'on nomme enfantins. On eut toutes les peines du monde à lui apprendre à lire, et il avait neuf ans, qu'il ne connaissait pas encore ses lettres. « Bon, disais-je en moi-même, les arbres tar-

105 difs sont ceux qui portent les meilleurs fruits ; on grave sur le marbre bien plus malaisément que sur le sable ; mais les choses y sont conservées bien plus longtemps, et cette lenteur à comprendre, cette pesanteur d'imagination, est la marque d'un bon jugement à venir. » Lorsque je l'envoyai au collège,

110 il trouva de la peine[4] ; mais il se raidissait contre les difficul-tés, et ses régents[5] se louaient toujours à moi de son assi-duité, et de son travail. Enfin, à force de battre le fer[6], il en est venu glorieusement à avoir ses licences[7] ; et je puis dire sans vanité que depuis deux ans qu'il est sur les bancs, il n'y

115 a point de candidat qui ait fait plus de bruit que lui dans toutes les disputes de notre École[8]. Il s'y est rendu redou-table, et il ne s'y passe point d'acte[9] où il n'aille argumenter à outrance[10] pour la proposition contraire. Il est ferme dans

---

1. *J'ai toujours bien auguré de sa judiciaire* : j'ai toujours pensé qu'il aurait la faculté de bien juger.

2. *Mièvre* : au XVIIe siècle, signifie « vif ».

3. *Taciturne* : qui parle peu.

4. *Il trouva de la peine* : il eut du mal, il rencontra des difficultés (à suivre les cours).

5. *Régents* : professeurs.

6. *Battre le fer* : travailler avec acharnement.

7. *Licences* : diplômes universitaires.

8. *Les disputes de notre École* : les débats publics auxquels se livrent les étudiants en médecine.

9. *Acte* : débat public lors d'une soutenance de thèse.

10. *À outrance* : du mieux qu'il peut.

la dispute, fort comme un Turc sur ses principes, ne démord
120 jamais de son opinion, et poursuit un raisonnement jusque
dans les derniers recoins de la logique. Mais sur toute chose
ce qui me plaît en lui, et en quoi il suit mon exemple, c'est
qu'il s'attache aveuglément aux opinions de nos anciens[1], et
que jamais il n'a voulu comprendre ni écouter les raisons et
125 les expériences des prétendues découvertes de notre siècle,
touchant la circulation du sang[2], et autres opinions de
même farine[3].

THOMAS DIAFOIRUS. *Il tire une grande thèse[4] roulée de sa poche, qu'il
présente à Angélique.* – J'ai contre les circulateurs[5] soutenu une
130 thèse, qu'avec la permission de Monsieur, j'ose présenter à
Mademoiselle, comme un hommage que je lui dois des prémices[6] de mon esprit.

ANGÉLIQUE. – Monsieur, c'est pour moi un meuble[7] inutile, et je
ne me connais pas à ces choses-là.

135 TOINETTE. – Donnez, donnez, elle est toujours bonne à prendre
pour l'image[8]; cela servira à parer[9] notre chambre.

THOMAS DIAFOIRUS. – Avec la permission aussi de Monsieur, je
vous invite à venir voir l'un de ces jours, pour vous divertir,
la dissection d'une femme, sur quoi je dois raisonner.

---

1. *Nos anciens* : les savants de l'Antiquité grecque et romaine.
2. Le médecin Harvey a découvert en 1619 que le sang circulait dans le
corps, mais cette découverte a été contestée par de nombreux savants. Le personnage de M. Diafoirus permet à Molière de critiquer ces médecins
conservateurs.
3. *De même farine* : de cette sorte.
4. *Thèse* : ici, affiche illustrée d'une gravure signalant les positions que l'on
défendra en public à une date donnée.
5. *Circulateurs* : savants qui soutiennent la thèse de la circulation du sang
dans le corps.
6. *Prémices* : premières manifestations.
7. *Meuble* : objet, décoration.
8. *Image* : illustration (voir note 4, ci-dessus).
9. *Parer* : décorer, embellir.

La représentation des médecins au XVIIe siècle

Comment sont représentés les médecins au XVIIe siècle ? À l'époque, ils sont souvent mis en scène dans des farces comme sur des gravures comiques. Leurs pratiques, fondées sur l'observation des urines et des selles des malades, font notamment l'objet de moqueries. C'est le cas dans les gravures d'Abraham Bosse et de Jacques Lagniet. Molière reprend cette tradition comique dans plusieurs de ses pièces, comme dans *L'Amour médecin*, une de ses premières comédies-ballets, dans laquelle il caricature les quatre médecins du roi. Voir dossier, p. 177.

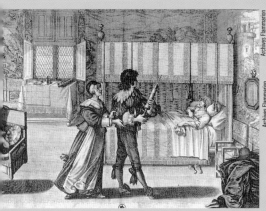

▲ Abraham Bosse, *Le Clystère* (ancien nom du lavement), vers 1632-1633.

▼ Jacques Lagniet, *Le Médecin merdifique*, 1663.

▲ Frontispice de l'édition de 1682 de *L'Amour médecin*, par P. Brissart (gravure de J. Sauvé).

Les médecins de Molière au XXᵉ siècle

Comment représenter aujourd'hui les médecins de Molière ? En fonction de leurs goûts et du sens qu'ils souhaitent donner à telle ou telle pièce de l'auteur, les metteurs en scène ont le choix. Ils peuvent rester fidèles aux habits que les médecins arboraient au XVIIᵉ siècle, moderniser ces derniers pour souligner l'actualité de la satire, ou encore opter pour des costumes exubérants destinés à renforcer le caractère burlesque de leurs personnages. Le choix du costume ne doit donc rien au hasard. À la Comédie-Française, il est réalisé sur mesure par le costumier, précieux collaborateur du metteur en scène. Voir dossier, p. 178.

▶ Argan (Daniel Sorano) et ses médecins, dans la mise en scène du *Malade imaginaire* par Daniel Sorano, au TNP, en 1956.

▼ Argan (Michel Bouquet) et M. Purgon (Christian Bouillette) dans la mise en scène de Georges Werler, au théâtre de la Porte-Saint-Martin, en 2008.

▶ Sganarelle (Nicolas Lormeau), entouré de Lisette (Cécile Brune) et de trois médecins, dans la mise en scène de *L'Amour médecin* par Jean-Marie Villégier et Jonathan Duverger, à la Comédie-Française, en 2005.

◀ Planche du costume
de M. Diafoirus réalisé
par Christine Rabot-Pinson
pour la mise en scène
du *Malade imaginaire*
de Gildas Bourdet
à la Comédie-Française,
en 1991.

▶ Le costume du même
personnage vu par
Ezio Toffolutti pour la mise
en scène de Claude Stratz
à la Comédie-Française,
en 2001.

Le Malade imaginaire mis en scène par Claude Stratz (2001)

En 2001, le metteur en scène suisse Claude Stratz monte *Le Malade imaginaire* à la Comédie-Française. Le spectacle rencontre un grand succès : il fait l'objet de nombreuses reprises et s'exporte jusqu'en Chine. Comme on peut le voir dans les photographies suivantes, l'art de la mise en scène s'appuie sur de nombreux éléments.

© Collections Comédie-Française / photo. Patrick Lorette

▲ **Les décors** – Conçus par Ezio Toffolutti, ils ont été préparés grâce à une maquette en relief. Un grand soin a été apporté à la réalisation du fauteuil d'Argan, élément central du spectacle (à gauche).

© Laurencine Lot

▶ **Les costumes** – Ici, ils permettent de souligner la différence de caractère d'Angélique (Julie Sicard, en robe blanche), la fille d'Argan, et de Béline (Catherine Sauval, en robe rouge), la femme de ce dernier.

▲ **La lumière** – Dans la scène 2 de l'acte I, l'éclairage à la bougie traduit et accentue le caractère intime des confessions d'Angélique (ici, Léonie Simaga) à Toinette (Cécile Brune, à droite), la servante (reprise de 2009).

▲ **Le placement et la gestuelle des comédiens** – Angélique (Julie Sicard) doit-elle épouser l'homme choisi par son père ou l'homme qu'elle aime ? Pour illustrer ce dilemme, Claude Stratz imagine une jeune fille littéralement écartelée entre Toinette et Argan.

La comédie-ballet, un art de cour

Le Malade imaginaire n'est pas une simple comédie : c'est une comédie-ballet, c'est-à-dire un spectacle qui doit être grandiose et participer ainsi de l'art de cour, qui vise à célébrer la puissance et la générosité de Louis XIV.

▶ Louis XIV en Apollon (costume de ballet). Louis XIV, amateur de musique et de danse, n'hésite pas à se mettre lui-même en scène dans des ballets aux costumes somptueux.

▼ Ingres, *Louis XIV et Molière déjeunant à Versailles*, 1857.
Au XIXᵉ siècle, le peintre néoclassique imagine la scène de la rencontre de Louis XIV et de Molière. Il représente dans ce tableau les liens privilégiés qui unissent le dramaturge au souverain, parrain de son fils.

Grand Divertissement de Versailles (1674)

En 1674, trois ans après la mort de Molière, la pièce du *Malade imaginaire* est intégrée à une fête de plusieurs jours qui vise à célébrer la victoire du souverain en Franche-Comté. Outre le récit détaillé qu'en fait André Félibien, les gravures de Le Pautre (1676), qui représentent un épisode majeur de chacune des six journées de festivités, nous permettent de reconstituer ce que fut ce « Divertissement », apogée de l'art de cour. Voir dossier, p. 182.

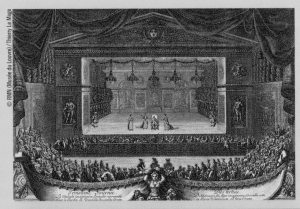

◀ La représentation du *Malade imaginaire*, « clou » de la troisième journée.

▲ Les soupers et collations occupent une place de choix dans les festivités. Ici, se trouve représenté le grand souper de la quatrième journée.

▲ Cinquième journée. Les feux d'artifice et les spectacles pyrotechniques sont, comme les comédies-ballets, destinés à éblouir les invités du souverain.

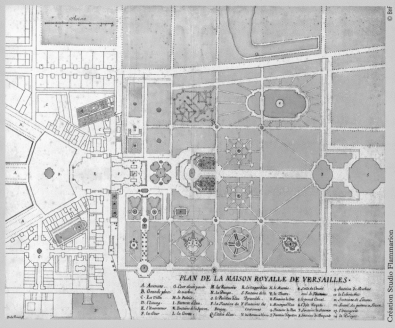

▲ Plan des jardins de Versailles, vers 1674.

140 TOINETTE. – Le divertissement sera agréable. Il y en a qui donnent la comédie à leurs maîtresses ; mais donner une dissection est quelque chose de plus galant.

MONSIEUR DIAFOIRUS. – Au reste, pour ce qui est des qualités requises pour le mariage et la propagation[1], je vous assure
145 que, selon les règles de nos docteurs, il est tel qu'on le peut souhaiter, qu'il possède en un degré louable la vertu prolifique[2] et qu'il est du tempérament qu'il faut pour engendrer et procréer des enfants bien conditionnés[3].

ARGAN. – N'est-ce pas votre intention, Monsieur, de le pousser à
150 la cour, et d'y ménager pour lui une charge de médecin[4] ?

MONSIEUR DIAFOIRUS. – À vous en parler franchement, notre métier auprès des grands[5] ne m'a jamais paru agréable, et j'ai toujours trouvé qu'il valait mieux, pour nous autres, demeurer au public[6]. Le public est commode. Vous n'avez à
155 répondre de vos actions à personne ; et pourvu que l'on suive le courant des règles de l'art, on ne se met point en peine de tout ce qui peut arriver. Mais ce qu'il y a de fâcheux auprès des grands, c'est que, quand ils viennent à être malades, ils veulent absolument que leurs médecins les guérissent.

160 TOINETTE. – Cela est plaisant, et ils sont bien impertinents de vouloir que vous autres Messieurs vous les guérissiez : vous n'êtes point auprès d'eux pour cela ; vous n'y êtes que pour recevoir vos pensions[7], et leur ordonner des remèdes ; c'est à eux à guérir s'ils peuvent.

---

1. *Propagation* : reproduction.
2. *Vertu prolifique* : capacité de se reproduire.
3. *Conditionnés* : constitués.
4. C'est-à-dire de l'introduire auprès de la cour du roi pour qu'il devienne le médecin de patients nobles et riches.
5. *Grands* : aristocrates, individus de la haute noblesse.
6. *Demeurer au public* : n'avoir comme patients que les gens du peuple.
7. *Pensions* : salaires annuels.

165 MONSIEUR DIAFOIRUS. – Cela est vrai. On n'est obligé qu'à traiter les gens dans les formes.

ARGAN, *à Cléante.* – Monsieur, faites un peu chanter ma fille devant la compagnie.

CLÉANTE. – J'attendais vos ordres, Monsieur, et il m'est venu en
170 pensée, pour divertir la compagnie, de chanter avec Mademoiselle une scène d'un petit opéra qu'on a fait depuis peu. Tenez, voilà votre partie.

ANGÉLIQUE. – Moi ?

CLÉANTE. – Ne vous défendez point[1], s'il vous plaît, et me laissez
175 vous faire comprendre ce que c'est que la scène que nous devons chanter. Je n'ai pas une voix à chanter ; mais il suffit ici que je me fasse entendre[2], et l'on aura la bonté de m'excuser par la nécessité où je me trouve de faire chanter Mademoiselle.

180 ARGAN. – Les vers en sont-ils beaux ?

CLÉANTE. – C'est proprement ici un petit opéra impromptu[3], et vous n'allez entendre chanter que de la prose cadencée, ou des manières de vers libres[4], tels que la passion et la nécessité peuvent faire trouver à deux personnes qui disent les choses
185 d'eux-mêmes, et parlent sur-le-champ.

ARGAN. – Fort bien. Écoutons.

CLÉANTE *sous le nom d'un Berger, explique à sa maîtresse son amour depuis leur rencontre, et ensuite ils s'appliquent leurs pensées l'un à l'autre en chantant[5].* – Voici le sujet de la scène. Un Berger était
190 attentif aux beautés d'un spectacle, qui ne faisait que de

---

1. *Ne vous défendez point* : ne refusez pas.

2. Cléante joue sur le double sens du mot « entendre », qui peut aussi signifier « comprendre ».

3. *Impromptu* : improvisé, composé dans l'urgence.

4. *De la prose cadencée, ou des manières de vers libres* : des vers qui ne riment pas.

5. Cléante utilise le personnage du berger pour s'adresser à Angélique, qui entre dans le jeu.

commencer, lorsqu'il fut tiré de son attention par un bruit qu'il entendit à ses côtés. Il se retourne, et voit un brutal, qui de paroles insolentes maltraitait une Bergère. D'abord il prend les intérêts d'un sexe[1] à qui tous les hommes doivent
195   hommage ; et après avoir donné au brutal le châtiment de son insolence, il vient à la Bergère, et voit une jeune personne qui, des deux plus beaux yeux qu'il eût jamais vus, versait des larmes, qu'il trouva les plus belles du monde. « Hélas ! dit-il en lui-même, est-on capable d'outrager[2] une personne si
200   aimable ? Et quel inhumain, quel barbare ne serait touché par de telles larmes ? » Il prend soin de les arrêter, ces larmes, qu'il trouve si belles ; et l'aimable Bergère prend soin en même temps de le remercier de son léger service, mais d'une manière si charmante, si tendre, et si passionnée, que le
205   Berger n'y peut résister ; et chaque mot, chaque regard, est un trait plein de flamme, dont son cœur se sent pénétré. « Est-il, disait-il, quelque chose qui puisse mériter les aimables paroles d'un tel remerciement ? Et que ne voudrait-on pas faire, à quels services, à quels dangers, ne serait-on pas ravi
210   de courir, pour s'attirer un seul moment des touchantes douceurs d'une âme si reconnaissante ? » Tout le spectacle passe sans qu'il y donne aucune attention ; mais il se plaint qu'il est trop court, parce qu'en finissant il le sépare de son adorable Bergère ; et de cette première vue, de ce premier moment, il
215   emporte chez lui tout ce qu'un amour de plusieurs années peut avoir de plus violent. Le voilà aussitôt à sentir tous les maux de l'absence, et il est tourmenté de ne plus voir ce qu'il a si peu vu. Il fait tout ce qu'il peut pour se redonner cette vue[3], dont il conserve, nuit et jour, une si chère idée ; mais la

---

1. *D'un sexe* : du genre féminin.
2. *Outrager* : blesser par un acte ou une parole injurieuse, violente.
3. *Pour se redonner cette vue* : pour la revoir.

220 grande contrainte[1] où l'on tient sa Bergère lui en ôte tous les
moyens. La violence de sa passion le fait résoudre à demander en mariage l'adorable beauté sans laquelle il ne peut plus
vivre, et il en obtient d'elle la permission par un billet qu'il a
l'adresse de lui faire tenir. Mais dans le même temps on
225 l'avertit que le père de cette belle a conclu son mariage avec
un autre, et que tout se dispose pour en célébrer la cérémonie. Jugez quelle atteinte cruelle au cœur de ce triste Berger.
Le voilà accablé d'une mortelle douleur. Il ne peut souffrir
l'effroyable idée de voir tout ce qu'il aime entre les bras d'un
230 autre ; et son amour au désespoir lui fait trouver moyen de
s'introduire dans la maison de sa Bergère, pour apprendre
ses sentiments et savoir d'elle la destinée à laquelle il doit se
résoudre. Il y rencontre les apprêts[2] de tout ce qu'il craint ; il
y voit venir l'indigne rival que le caprice d'un père oppose
235 aux tendresses de son amour. Il le voit triomphant, ce rival
ridicule, auprès de l'aimable Bergère, ainsi qu'auprès d'une
conquête qui lui est assurée ; et cette vue le remplit d'une
colère, dont il a peine à se rendre le maître. Il jette de doulou-
reux regards sur celle qu'il adore ; et son respect, et la pré-
240 sence de son père l'empêchent de lui rien dire que des yeux[3].
Mais enfin il force toute contrainte, et le transport de son
amour l'oblige à lui parler ainsi :

(Il chante.)

Belle Philis, c'est trop, c'est trop souffrir ;
Rompons ce dur silence, et m'ouvrez vos pensées.
245 *Apprenez-moi ma destinée :*
Faut-il vivre ? Faut-il mourir ?

----

1. *Contrainte* : surveillance.
2. *Apprêts* : préparatifs.
3. *Que des yeux* : qu'avec les yeux.

Angélique *répond en chantant :*

Vous me voyez, Tircis, triste et mélancolique,
Aux apprêts de l'hymen[1] dont vous vous alarmez :
Je lève au ciel les yeux, je vous regarde, je soupire.
250   *C'est vous en dire assez.*

Argan. – Ouais ! je ne croyais pas que ma fille fût si habile que de chanter ainsi à livre ouvert, sans hésiter.

Cléante

Hélas ! belle Philis,
Se pourrait-il que l'amoureux Tircis
255   *Eût assez de bonheur,*
Pour avoir quelque place dans votre cœur ?

Angélique

Je ne m'en défends point dans cette peine extrême :
Oui, Tircis, je vous aime.

Cléante

Ô parole pleine d'appas[2] !
260   *Ai-je bien entendu, hélas !*
Redites-la, Philis, que je n'en doute pas.

Angélique

Oui, Tircis, je vous aime.

Cléante

De grâce, encor, Philis.

Angélique

Je vous aime.

---

1. *Hymen :* mariage.
2. *Appas :* charme.

CLÉANTE

265 *Recommencez cent fois, ne vous en lassez pas.*

ANGÉLIQUE

Je vous aime, je vous aime,
Oui, Tircis, je vous aime.

CLÉANTE

Dieux, rois, qui sous vos pieds regardez tout le monde,
Pouvez-vous comparer votre bonheur au mien ?
270 *Mais, Philis, une pensée*
Vient troubler ce doux transport :
Un rival, un rival...

ANGÉLIQUE

Ah ! je le hais plus que la mort ;
Et sa présence, ainsi qu'à vous,
275 *M'est un cruel supplice.*

CLÉANTE

Mais un père à ses vœux vous veut assujettir.

ANGÉLIQUE

Plutôt, plutôt mourir
Que de jamais y consentir ;
Plutôt, plutôt mourir, plutôt mourir.

280 ARGAN. – Et que dit le père à tout cela ?

CLÉANTE. – Il ne dit rien.

ARGAN. – Voilà un sot père que ce père-là, de souffrir toutes ces sottises-là sans rien dire.

CLÉANTE

Ah ! mon amour...

285 ARGAN. – Non, non, en voilà assez. Cette comédie-là est de fort
mauvais exemple. Le berger Tircis est un impertinent, et la bergère Philis une impudente, de parler de la sorte devant son
père. Montrez-moi ce papier. Ha, ha. Où sont donc les paroles
que vous avez dites ? Il n'y a là que de la musique écrite.
290 CLÉANTE. – Est-ce que vous ne savez pas, Monsieur, qu'on a
trouvé depuis peu l'invention d'écrire les paroles avec les
notes mêmes ?
ARGAN. – Fort bien. Je suis votre serviteur[1], Monsieur ; jusqu'au
revoir. Nous nous serions bien passés de votre impertinent
295 d'opéra.
CLÉANTE. – J'ai cru vous divertir.
ARGAN. – Les sottises ne divertissent point. Ah ! voici ma femme.

Scène 6

BÉLINE, ARGAN, TOINETTE, ANGÉLIQUE, MONSIEUR
DIAFOIRUS, THOMAS DIAFOIRUS

ARGAN. – Mamour, voilà le fils de Monsieur Diafoirus.
THOMAS DIAFOIRUS *commence un compliment qu'il avait étudié, et la
mémoire lui manquant, il ne peut le continuer.* – Madame, c'est
avec justice que le Ciel vous a concédé le nom de belle-mère,
5 puisque l'on voit sur votre visage…
BÉLINE. – Monsieur, je suis ravie d'être venue ici à propos[2] pour
avoir l'honneur de vous voir.
THOMAS DIAFOIRUS. – Puisque l'on voit sur votre visage…
puisque l'on voit sur votre visage… Madame, vous m'avez

---

1. *Je suis votre serviteur* : je vous remercie (formule de politesse) ; l'emploi
est ici ironique puisqu'Argan congédie Cléante.
2. *À propos* : au bon moment.

10 interrompu dans le milieu de ma période[1], et cela m'a troublé
    la mémoire.

MONSIEUR DIAFOIRUS. – Thomas, réservez cela pour une autre
    fois.

ARGAN. – Je voudrais, mamie, que vous eussiez été ici tantôt.

15 TOINETTE. – Ah ! Madame, vous avez bien perdu de n'avoir point
    été au second père, à la statue de Memnon, et à la fleur
    nommée héliotrope.

ARGAN. – Allons, ma fille, touchez dans la main de Monsieur, et
    lui donnez votre foi[2], comme à votre mari.

20 ANGÉLIQUE. – Mon père !

ARGAN. – Hé bien ! «Mon père» ? Qu'est-ce que cela veut dire ?

ANGÉLIQUE. – De grâce, ne précipitez pas les choses. Donnez-
    nous au moins le temps de nous connaître, et de voir naître
    en nous l'un pour l'autre cette inclination si nécessaire à com-
25 poser une union parfaite.

THOMAS DIAFOIRUS. – Quant à moi, Mademoiselle, elle est déjà
    toute née en moi, et je n'ai pas besoin d'attendre davantage.

ANGÉLIQUE. – Si vous êtes si prompt, Monsieur, il n'en est pas de
    même de moi, et je vous avoue que votre mérite n'a pas
30 encore fait assez d'impression dans mon âme.

ARGAN. – Ho bien, bien ! cela aura tout le loisir de se faire,
    quand vous serez mariés ensemble.

ANGÉLIQUE. – Eh ! mon père, donnez-moi du temps, je vous prie.
    Le mariage est une chaîne où l'on ne doit jamais soumettre
35 un cœur par force ; et si Monsieur est honnête homme, il ne
    doit point vouloir accepter une personne qui serait à lui par
    contrainte.

---

1. *Période* : longue phrase, à la construction grammaticale complexe.
2. *Lui donnez votre foi* : donnez-lui votre parole ; promettez-lui de
l'épouser.

THOMAS DIAFOIRUS. – *Nego consequentiam*[1], Mademoiselle, et je
puis être honnête homme et vouloir bien vous accepter des
40   mains de Monsieur votre père.

ANGÉLIQUE. – C'est un méchant moyen de se faire aimer de
quelqu'un que de lui faire violence.

THOMAS DIAFOIRUS. – Nous lisons des anciens, Mademoiselle,
que leur coutume était d'enlever par force de la maison des
45   pères les filles qu'on menait marier, afin qu'il ne semblât pas
que ce fût de leur consentement qu'elles convolaient dans les
bras d'un homme[2].

ANGÉLIQUE. – Les anciens, Monsieur, sont les anciens, et nous
sommes les gens de maintenant. Les grimaces[3] ne sont point
50   nécessaires dans notre siècle ; et quand un mariage nous
plaît, nous savons fort bien y aller, sans qu'on nous y traîne.
Donnez-vous patience : si vous m'aimez, Monsieur, vous
devez vouloir tout ce que je veux.

THOMAS DIAFOIRUS. – Oui, Mademoiselle, jusqu'aux intérêts de
55   mon amour exclusivement.

ANGÉLIQUE. – Mais la grande marque d'amour, c'est d'être
soumis aux volontés de celle qu'on aime.

THOMAS DIAFOIRUS. – *Distinguo*, Mademoiselle : dans ce qui ne
regarde point sa possession, *concedo* ; mais dans ce qui la
60   regarde, *nego*.

---

1. *Nego consequentiam* : formule latine qui signifie « je ne suis pas d'accord
avec la conséquence de votre hypothèse ». Dans la suite du dialogue, les
expressions latines en italique (*distinguo*, « j'apporte une nuance », *concedo*,
« je concède », *nego*, « je ne suis pas d'accord ») sont toutes des formules
empruntées au vocabulaire du droit. Thomas Diafoirus se comporte avec
Angélique comme s'il s'agissait de l'avocat de la partie adverse, lors d'un
procès au tribunal !
2. *Convolaient dans les bras d'un homme* : se mariaient à un homme.
3. *Grimaces* : dissimulations.

TOINETTE. – Vous avez beau raisonner : Monsieur est frais
émoulu[1] du collège, et il vous donnera toujours votre reste[2].
Pourquoi tant résister, et refuser la gloire d'être attachée au
corps de la Faculté ?

65 BÉLINE. – Elle a peut-être quelque inclination en tête.

ANGÉLIQUE. – Si j'en avais, Madame, elle serait telle que la raison
et l'honnêteté pourraient me la permettre.

ARGAN. – Ouais ! je joue ici un plaisant personnage.

BÉLINE. – Si j'étais que de vous[3], mon fils, je ne la forcerais point
70 à se marier, et je sais bien ce que je ferais.

ANGÉLIQUE. – Je sais, Madame, ce que vous voulez dire, et les
bontés que vous avez pour moi ; mais peut-être que vos
conseils ne seront pas assez heureux pour être exécutés.

BÉLINE. – C'est que les filles bien sages et bien honnêtes, comme
75 vous, se moquent d'être obéissantes, et soumises aux volontés de leurs pères. Cela était bon autrefois.

ANGÉLIQUE. – Le devoir d'une fille a des bornes, Madame, et la
raison et les lois ne l'étendent point à toutes sortes de choses.

BÉLINE. – C'est-à-dire que vos pensées ne sont que pour le
80 mariage ; mais vous voulez choisir un époux à votre fantaisie.

ANGÉLIQUE. – Si mon père ne veut pas me donner un mari qui
me plaise, je le conjurerai au moins de ne me point forcer à
en épouser un que je ne puisse pas aimer.

ARGAN. – Messieurs, je vous demande pardon de tout ceci.

85 ANGÉLIQUE. – Chacun a son but en se mariant. Pour moi, qui ne
veux un mari que pour l'aimer véritablement, et qui prétends
en faire tout l'attachement de ma vie, je vous avoue que j'y
cherche quelque précaution. Il y en a d'aucunes qui prennent
des maris seulement pour se tirer de la contrainte de leurs
90 parents, et se mettre en état de faire tout ce qu'elles voudront.

---

1. *Frais émoulu* : tout juste sorti.
2. *Il vous donnera toujours votre reste* : il aura toujours le dernier mot.
3. *Si j'étais que de vous* : si j'étais vous.

Il y en a d'autres, Madame, qui font du mariage un commerce de pur intérêt, qui ne se marient que pour gagner des douaires[1], que pour s'enrichir par la mort de ceux qu'elles épousent, et courent sans scrupule de mari en mari, pour s'approprier leurs dépouilles. Ces personnes-là, à la vérité, n'y cherchent pas tant de façons, et regardent peu la personne.

BÉLINE. – Je vous trouve aujourd'hui bien raisonnante, et je voudrais bien savoir ce que vous voulez dire par là.

ANGÉLIQUE. – Moi, Madame, que voudrais-je dire que ce que je dis ?

BÉLINE. – Vous êtes si sotte, mamie, qu'on ne saurait plus vous souffrir.

ANGÉLIQUE. – Vous voudriez bien, Madame, m'obliger à vous répondre quelque impertinence ; mais je vous avertis que vous n'aurez pas cet avantage.

BÉLINE. – Il n'est rien d'égal à votre insolence.

ANGÉLIQUE. – Non, Madame, vous avez beau dire.

BÉLINE. – Et vous avez un ridicule orgueil, une impertinente présomption[2] qui fait hausser les épaules à tout le monde.

ANGÉLIQUE. – Tout cela, Madame, ne servira de rien. Je serai sage en dépit de vous[3] ; et pour vous ôter l'espérance de pouvoir réussir dans ce que vous voulez, je vais m'ôter de votre vue.

ARGAN. – Écoute, il n'y a point de milieu à cela : choisis d'épouser dans quatre jours, ou Monsieur, ou un couvent. *(À Béline.)* Ne vous mettez pas en peine, je la rangerai bien[4].

---

1. *Douaires* : dons qu'un mari fait à sa femme, et qu'elle conserve après la mort de celui-ci.
2. *Présomption* : orgueil, arrogance.
3. *En dépit de vous* : malgré vous, malgré vos provocations.
4. *Je la rangerai bien* : je la forcerai bien à obéir.

BÉLINE. – Je suis fâchée de vous quitter, mon fils, mais j'ai une affaire en ville, dont je ne puis me dispenser. Je reviendrai bientôt.

120 ARGAN. – Allez, mamour, et passez chez votre notaire, afin qu'il expédie ce que vous savez.

BÉLINE. – Adieu, mon petit ami.

ARGAN. – Adieu, mamie. Voilà une femme qui m'aime... cela n'est pas croyable.

125 MONSIEUR DIAFOIRUS. – Nous allons, Monsieur, prendre congé de vous.

ARGAN. – Je vous prie, Monsieur, de me dire un peu comment je suis.

MONSIEUR DIAFOIRUS *lui tâte le pouls.* – Allons, Thomas, prenez
130 l'autre bras de Monsieur, pour voir si vous saurez porter un bon jugement de son pouls. *Quid dicis*[1] ?

THOMAS DIAFOIRUS. – *Dico*[2] que le pouls de Monsieur est le pouls d'un homme qui ne se porte point bien.

MONSIEUR DIAFOIRUS. – Bon.

135 THOMAS DIAFOIRUS. – Qu'il est duriuscule[3], pour ne pas dire dur.

MONSIEUR DIAFOIRUS. – Fort bien.

THOMAS DIAFOIRUS. – Repoussant.

MONSIEUR DIAFOIRUS. – *Bene*[4].

THOMAS DIAFOIRUS. – Et même un peu caprisant.

140 MONSIEUR DIAFOIRUS. – *Optime.*

THOMAS DIAFOIRUS. – Ce qui marque une intempérie dans le *parenchyme splénique*[5], c'est-à-dire la rate.

---

1. *Quid dicis ?* : « que dis-tu ? », en latin.

2. *Dico* : « je dis », en latin.

3. *Duriuscule* : un peu dur. Thomas Diafoirus fait étalage de sa science en accumulant les termes techniques : *repoussant*, « qui bat fort » ; *caprisant*, « irrégulier » ; *intempérie*, « dérèglement ».

4. Diafoirus complimente son fils en latin : *bene*, « bien » ; *optime*, « très bien ».

5. Les termes en italique sont des mots techniques du vocabulaire de la médecine ; ici, l'expression se rapporte à la rate.

MONSIEUR DIAFOIRUS. – Fort bien.

ARGAN. – Non : Monsieur Purgon dit que c'est mon foie qui
145 est malade.

MONSIEUR DIAFOIRUS. – Eh ! oui : qui dit parenchyme, dit l'un et
l'autre, à cause de l'étroite sympathie qu'ils ont ensemble,
par le moyen du *vas breve du pylore*[1], et souvent des *méats choli-*
doques[2]. Il vous ordonne sans doute de manger force[3] rôti ?

150 ARGAN. – Non, rien que du bouilli.

MONSIEUR DIAFOIRUS. – Eh ! oui : rôti, bouilli, même chose. Il
vous ordonne fort prudemment, et vous ne pouvez être en de
meilleures mains.

ARGAN. – Monsieur, combien est-ce qu'il faut mettre de grains de
155 sel dans un œuf ?

MONSIEUR DIAFOIRUS. – Six, huit, dix, par les nombres pairs ;
comme dans les médicaments, par les nombres impairs.

ARGAN. – Jusqu'au revoir, Monsieur.

Scène 7

BÉLINE, ARGAN

BÉLINE. – Je viens, mon fils, avant que de sortir, vous donner avis
d'une chose à laquelle il faut que vous preniez garde. En passant par-devant la chambre d'Angélique, j'ai vu un jeune
homme avec elle, qui s'est sauvé d'abord qu'il[4] m'a vue.

---

1. *Vas breve du pylore* : vaisseau par lequel les aliments passent de l'estomac à l'intestin.

2. *Méats cholidoques* : conduits par lesquels la bile arrive dans le duodé-
num (intestin grêle).

3. *Force* : beaucoup de.

4. *D'abord qu'il* : aussitôt qu'il.

5 ARGAN. – Un jeune homme avec ma fille ?

BÉLINE. – Oui. Votre petite fille Louison était avec eux, qui pourra vous en dire des nouvelles.

ARGAN. – Envoyez-la ici, mamour, envoyez-la ici. Ah, l'effrontée ! je ne m'étonne plus de sa résistance.

Scène 8

LOUISON, ARGAN

LOUISON. – Qu'est-ce que vous voulez, mon papa ? Ma belle-maman m'a dit que vous me demandez.

ARGAN. – Oui, venez çà, avancez là. Tournez-vous, levez les yeux, regardez-moi. Eh !

5 LOUISON. – Quoi, mon papa ?

ARGAN. – Là.

LOUISON. – Quoi ?

ARGAN. – N'avez-vous rien à me dire ?

LOUISON. – Je vous dirai, si vous voulez, pour vous désennuyer,

10 le conte de *Peau d'âne*, ou bien la fable du *Corbeau et du Renard*, qu'on m'a apprise depuis peu.

ARGAN. – Ce n'est pas là ce que je demande.

LOUISON. – Quoi donc ?

ARGAN. – Ah ! rusée, vous savez bien ce que je veux dire.

15 LOUISON. – Pardonnez-moi, mon papa.

ARGAN. – Est-ce là comme vous m'obéissez ?

LOUISON. – Quoi ?

ARGAN. – Ne vous ai-je pas recommandé de me venir dire d'abord tout ce que vous voyez ?

20 LOUISON. – Oui, mon papa.

ARGAN. – L'avez-vous fait ?

LOUISON. – Oui, mon papa. Je vous suis venue dire tout ce que j'ai vu.

ARGAN. – Et n'avez-vous rien vu aujourd'hui ?

25 LOUISON. – Non, mon papa.

ARGAN. – Non ?

LOUISON. – Non, mon papa.

ARGAN. – Assurément ?

LOUISON. – Assurément.

30 ARGAN. – Oh çà ! je m'en vais vous faire voir quelque chose, moi.

Il va prendre une poignée de verges[1].

LOUISON. – Ah ! mon papa.

ARGAN. – Ah, ah ! petite masque[2], vous ne me dites pas que vous avez vu un homme dans la chambre de votre sœur ?

LOUISON. – Mon papa !

35 ARGAN. – Voici qui vous apprendra à mentir.

LOUISON *se jette à genoux.* – Ah ! mon papa, je vous demande pardon. C'est que ma sœur m'avait dit de ne pas vous le dire ; mais je m'en vais vous dire tout.

ARGAN. – Il faut premièrement que vous ayez le fouet pour avoir 40 menti. Puis après nous verrons au reste.

LOUISON. – Pardon, mon papa !

ARGAN. – Non, non.

LOUISON. – Mon pauvre papa, ne me donnez pas le fouet !

ARGAN. – Vous l'aurez.

45 LOUISON. – Au nom de Dieu ! mon papa, que je ne l'aie pas.

ARGAN, *la prenant pour la fouetter.* – Allons, allons.

LOUISON. – Ah ! mon papa, vous m'avez blessée. Attendez : je suis morte. *(Elle contrefait[3] la morte.)*

---

1. *Verges* : baguettes flexibles dont on se servait comme fouet pour punir les enfants.

2. *Petite masque* : petite hypocrite.

3. *Contrefait* : imite.

ARGAN. – Holà ! Qu'est-ce là ? Louison, Louison. Ah, mon
50   Dieu ! Louison. Ah ! ma fille ! Ah ! malheureux, ma pauvre
fille est morte. Qu'ai-je fait, misérable ? Ah ! chiennes de
verges. La peste soit des verges ! Ah ! ma pauvre fille, ma
pauvre petite Louison.

LOUISON. – Là, là, mon papa, ne pleurez point tant, je ne suis pas
55   morte tout à fait.

ARGAN. – Voyez-vous la petite rusée ? Oh çà, çà ! je vous par-
donne pour cette fois-ci, pourvu que vous me disiez bien tout.

LOUISON. – Oh ! oui, mon papa.

ARGAN. – Prenez-y bien garde au moins, car voilà un petit doigt
60   qui sait tout, qui me dira si vous mentez.

LOUISON. – Mais, mon papa, ne dites pas à ma sœur que je vous
l'ai dit.

ARGAN. – Non, non.

LOUISON. – C'est, mon papa, qu'il est venu un homme dans la
65   chambre de ma sœur comme j'y étais.

ARGAN. – Hé bien ?

LOUISON. – Je lui ai demandé ce qu'il demandait, et il m'a dit
qu'il était son maître à chanter.

ARGAN. – Hon, hon. Voilà l'affaire. Hé bien ?

70 LOUISON. – Ma sœur est venue après.

ARGAN. – Hé bien ?

LOUISON. – Elle lui a dit : « Sortez, sortez, sortez, mon Dieu !
sortez ; vous me mettez au désespoir. »

ARGAN. – Hé bien ?

75 LOUISON. – Et lui, il ne voulait pas sortir.

ARGAN. – Qu'est-ce qu'il lui disait ?

Louison. – Il lui disait je ne sais combien de choses.

ARGAN. – Et quoi encore ?

LOUISON. – Il lui disait tout ci, tout ça, qu'il l'aimait bien, et
80   qu'elle était la plus belle du monde.

ARGAN. – Et puis après ?

LOUISON. – Et puis après, il se mettait à genoux devant elle.

ARGAN. – Et puis après ?

LOUISON. – Et puis après, il lui baisait les mains.

85 ARGAN. – Et puis après ?

LOUISON. – Et puis après, ma belle-maman est venue à la porte, et il s'est enfui.

ARGAN. – Il n'y a point autre chose ?

LOUISON. – Non, mon papa.

90 ARGAN. – Voilà mon petit doigt pourtant qui gronde[1] quelque chose. *(Il met son doigt à son oreille.)* Attendez. Eh ! ah, ah ! oui ? Oh, oh ! voilà mon petit doigt qui me dit quelque chose que vous avez vu, et que vous ne m'avez pas dit.

LOUISON. – Ah ! mon papa, votre petit doigt est un menteur.

95 ARGAN. – Prenez garde.

LOUISON. – Non, mon papa, ne le croyez pas, il ment, je vous assure.

ARGAN. – Oh bien, bien ! nous verrons cela. Allez-vous-en, et prenez bien garde à tout : allez. Ah ! il n'y a plus d'enfants.
100 Ah ! que d'affaires ! je n'ai pas seulement le loisir de songer à ma maladie. En vérité, je n'en puis plus.

Il se remet dans sa chaise.

Scène 9

BÉRALDE, ARGAN

BÉRALDE. – Hé bien ! mon frère, qu'est-ce ? comment vous portez-vous ?

ARGAN. – Ah ! mon frère, fort mal.

---

1. *Gronde* : murmure.

BÉRALDE. – Comment, « fort mal » ?

5 ARGAN. – Oui, je suis dans une faiblesse si grande que cela n'est pas croyable.

BÉRALDE. – Voilà qui est fâcheux.

ARGAN. – Je n'ai pas seulement la force de pouvoir parler.

BÉRALDE. – J'étais venu ici, mon frère, vous proposer un parti[1]
10 pour ma nièce Angélique.

ARGAN, *parlant avec emportement, et se levant de sa chaise.* – Mon frère, ne me parlez point de cette coquine-là. C'est une friponne, une impertinente, une effrontée, que je mettrai dans un couvent avant qu'il soit deux jours.

15 BÉRALDE. – Ah ! voilà qui est bien : je suis bien aise que la force vous revienne un peu, et que ma visite vous fasse du bien. Oh ! çà ! nous parlerons d'affaires tantôt. Je vous amène ici un divertissement, que j'ai rencontré, qui dissipera votre chagrin, et vous rendra l'âme mieux disposée aux choses que
20 nous avons à dire. Ce sont des Égyptiens[2], vêtus en Mores[3], qui font des danses mêlées de chansons, où je suis sûr que vous prendrez plaisir ; et cela vaudra bien une ordonnance de Monsieur Purgon. Allons.

---

1. *Un parti* : un mari.
2. *Égyptiens* : bohémiens.
3. *Mores* : peuple du nord de l'Afrique (on écrit aujourd'hui « Maures »).

SECOND INTERMÈDE

Le frère du Malade imaginaire lui amène, pour le divertir, plusieurs Égyptiens et Égyptiennes, vêtus en Mores, qui font des danses entremêlées de chansons.

PREMIÈRE FEMME MORE

Profitez du printemps
De vos beaux ans,
Aimable jeunesse ;
Profitez du printemps
De vos beaux ans,
Donnez-vous à la tendresse.

Les plaisirs les plus charmants,
Sans l'amoureuse flamme,
Pour contenter une âme
N'ont point d'attraits assez puissants.

Profitez du printemps
De vos beaux ans,
Aimable jeunesse ;
Profitez du printemps
De vos beaux ans,
Donnez-vous à la tendresse.

Ne perdez point ces précieux moments :
La beauté passe,

Le temps l'efface,
20   L'âge de glace
Vient à sa place,
Qui nous ôte le goût de ces doux passe-temps.

Profitez du printemps
De vos beaux ans,
25   Aimable jeunesse ;
Profitez du printemps
De vos beaux ans,
Donnez-vous à la tendresse.

SECONDE FEMME MORE

Quand d'aimer on nous presse
30   À quoi songez-vous ?
Nos cœurs, dans la jeunesse,
N'ont vers la tendresse
Qu'un penchant trop doux ;
L'amour a pour nous prendre
35   De si doux attraits
Que de soi[1], sans attendre,
On voudrait se rendre
À ses premiers traits[2] :
Mais tout ce qu'on écoute
40   Des vives douleurs
Et des pleurs
Qu'il nous coûte
Fait qu'on en redoute
Toutes les douceurs.

---

1. De soi : de soi-même.
2. Traits : flèches. Allusion au dieu Cupidon, qui fait naître l'amour en perçant les cœurs d'une flèche.

TROISIÈME FEMME MORE

45 *Il est doux, à notre âge,*
    D'aimer tendrement
      Un amant
      Qui s'engage :
    Mais s'il est volage[1],
50   *Hélas! quel tourment!*

QUATRIÈME FEMME MORE

L'amant qui se dégage[2]
    N'est pas le malheur :
      La douleur
      Et la rage,
55   *C'est que le volage*
    Garde notre cœur.

SECONDE FEMME MORE

Quel parti faut-il prendre
    Pour nos jeunes cœurs?

QUATRIÈME FEMME MORE

Devons-nous nous y rendre
60   *Malgré ses rigueurs?*

ENSEMBLE

Oui, suivons ses ardeurs,
Ses transports, ses caprices,
    Ses douces langueurs ;
S'il a quelques supplices,
65   *Il a cent délices*
    Qui charment les cœurs.

---

1. Volage : infidèle.
2. Qui se dégage : qui rompt une relation amoureuse.

Entrée de ballet

Tous les Mores dansent ensemble et font sauter des singes qu'ils ont amenés avec eux.

ACTE III

Scène première

BÉRALDE, ARGAN, TOINETTE

BÉRALDE. – Hé bien ! mon frère, qu'en dites-vous ? cela ne vaut-il pas bien une prise de casse[1] ?

TOINETTE. – Hon, de bonne casse est bonne[2].

BÉRALDE. – Oh çà ! voulez-vous que nous parlions un peu ensemble ?

ARGAN. – Un peu de patience, mon frère, je vais revenir.

TOINETTE. – Tenez, Monsieur, vous ne songez pas que vous ne sauriez marcher sans bâton.

ARGAN. – Tu as raison.

---

1. *Une prise de casse* : une dose de remède laxatif.
2. *Hon, de bonne casse est bonne* : oui, prendre une dose de casse de bonne qualité est une bonne chose.

Scène 2

BÉRALDE, TOINETTE

TOINETTE. – N'abandonnez pas, s'il vous plaît, les intérêts de votre nièce.

BÉRALDE. – J'emploierai toutes choses pour lui obtenir ce qu'elle souhaite.

5 TOINETTE. – Il faut absolument empêcher ce mariage extravagant qu'il s'est mis dans la fantaisie, et j'avais songé en moi-même que ç'aurait été une bonne affaire de pouvoir introduire ici un médecin à notre poste[1], pour le dégoûter de son Monsieur Purgon, et lui décrier[2] sa conduite. Mais, comme nous

10 n'avons personne en main pour cela, j'ai résolu de jouer un tour de ma tête.

BÉRALDE. – Comment ?

TOINETTE. – C'est une imagination burlesque. Cela sera peut-être plus heureux[3] que sage. Laissez-moi faire : agissez de votre

15 côté. Voici notre homme.

Scène 3

ARGAN, BÉRALDE

BÉRALDE. – Vous voulez bien, mon frère, que je vous demande, avant toute chose, de ne vous point échauffer l'esprit dans notre conversation.

ARGAN. – Voilà qui est fait.

---

1. *À **notre poste*** : à notre manière.
2. *Décrier* : discréditer, critiquer.
3. *Heureux* : efficace.

5 BÉRALDE. – De répondre sans nulle aigreur[1] aux choses que je
pourrai vous dire.

ARGAN. – Oui.

BÉRALDE. – Et de raisonner ensemble, sur les affaires dont nous
avons à parler, avec un esprit détaché de toute passion.

10 ARGAN. – Mon Dieu ! oui. Voilà bien du préambule[2].

BÉRALDE. – D'où vient, mon frère, qu'ayant le bien que vous
avez, et n'ayant d'enfants qu'une fille, car je ne compte pas
la petite, d'où vient, dis-je, que vous parlez de la mettre dans
un couvent ?

15 ARGAN. – D'où vient, mon frère, que je suis maître dans ma
famille pour faire ce que bon me semble ?

BÉRALDE. – Votre femme ne manque pas de vous conseiller de
vous défaire ainsi de vos deux filles, et je ne doute point que,
par un esprit de charité, elle ne fût ravie de les voir toutes
20 deux bonnes religieuses.

ARGAN. – Oh çà ! nous y voici. Voilà d'abord la pauvre femme en
jeu : c'est elle qui fait tout le mal, et tout le monde lui en veut.

BÉRALDE. – Non, mon frère ; laissons-la là ; c'est une femme qui
a les meilleures intentions du monde pour votre famille, et
25 qui est détachée de toute sorte d'intérêt, qui a pour vous une
tendresse merveilleuse, et qui montre pour vos enfants une
affection et une bonté qui n'est pas concevable : cela est certain. N'en parlons point, et revenons à votre fille. Sur quelle
pensée, mon frère, la voulez-vous donner en mariage au fils
30 d'un médecin ?

ARGAN. – Sur la pensée, mon frère, de me donner un gendre tel
qu'il me faut.

BÉRALDE. – Ce n'est point là, mon frère, le fait de votre fille[3], et
il se présente un parti plus sortable[4] pour elle.

---

1. *Sans nulle aigreur* : sans colère ni mots piquants.
2. *Préambule* : avant-propos, discours que l'on tient avant d'en venir au fait.
3. *Le fait de votre fille* : ce qui convient à votre fille.
4. *Sortable* : convenable.

35 ARGAN. – Oui, mais celui-ci, mon frère, est plus sortable pour
moi.

BÉRALDE. – Mais le mari qu'elle doit prendre doit-il être, mon
frère, ou pour elle, ou pour vous ?

ARGAN. – Il doit être, mon frère, et pour elle, et pour moi, et je
40 veux mettre dans ma famille les gens dont j'ai besoin.

BÉRALDE. – Par cette raison-là, si votre petite était grande, vous
lui donneriez en mariage un apothicaire ?

ARGAN. – Pourquoi non ?

BÉRALDE. – Est-il possible que vous serez toujours embéguiné[1] de
45 vos apothicaires et de vos médecins, et que vous vouliez être
malade en dépit des gens et de la nature ?

ARGAN. – Comment l'entendez-vous[2], mon frère ?

BÉRALDE. – J'entends, mon frère, que je ne vois point d'homme
qui soit moins malade que vous, et que je ne demanderais
50 point une meilleure constitution[3] que la vôtre. Une grande
marque[4] que vous vous portez bien, et que vous avez un
corps parfaitement bien composé, c'est qu'avec tous les soins
que vous avez pris, vous n'avez pu parvenir encore à gâter la
bonté de votre tempérament[5], et que vous n'êtes point crevé
55 de toutes les médecines qu'on vous a fait prendre.

ARGAN. – Mais savez-vous, mon frère, que c'est cela qui me
conserve, et que Monsieur Purgon dit que je succomberais[6],
s'il était seulement trois jours sans prendre soin de moi ?

BÉRALDE. – Si vous n'y prenez garde, il prendra tant de soin de
60 vous qu'il vous enverra en l'autre monde[7].

---

1. Embéguiné : sous l'emprise, sous l'influence de.
2. Comment l'entendez-vous ? : que voulez-vous dire par là ?
3. Constitution : santé.
4. Marque : preuve.
5. Gâter la bonté de votre tempérament : vous rendre malade.
6. Je succomberais : je mourrais.
7. L'autre monde : le monde des morts.

ARGAN. – Mais raisonnons un peu, mon frère. Vous ne croyez donc point à la médecine ?

BÉRALDE. – Non, mon frère, et je ne vois pas que, pour son salut, il soit nécessaire d'y croire.

65 ARGAN. – Quoi ? vous ne tenez pas véritable une chose établie par tout le monde, et que tous les siècles ont révérée ?

BÉRALDE. – Bien loin de la tenir véritable, je la trouve, entre nous, une des plus grandes folies qui soit parmi les hommes ; et à regarder les choses en philosophe, je ne vois point de plus

70 plaisante momerie[1], je ne vois rien de plus ridicule qu'un homme qui se veut mêler d'en guérir un autre.

ARGAN. – Pourquoi ne voulez-vous pas, mon frère, qu'un homme en puisse guérir un autre ?

BÉRALDE. – Par la raison, mon frère, que les ressorts de notre

75 machine[2] sont des mystères, jusques ici, où les hommes ne voient goutte[3], et que la nature nous a mis au-devant des yeux des voiles trop épais pour y connaître quelque chose.

ARGAN. – Les médecins ne savent donc rien, à votre compte ?

BÉRALDE. – Si fait, mon frère. Ils savent la plupart de fort belles

80 humanités[4], savent parler en beau latin, savent nommer en grec toutes les maladies, les définir et les diviser ; mais, pour ce qui est de les guérir, c'est ce qu'ils ne savent point du tout.

ARGAN. – Mais toujours faut-il demeurer d'accord que, sur cette matière, les médecins en savent plus que les autres.

85 BÉRALDE. – Ils savent, mon frère, ce que je vous ai dit, qui ne guérit pas de grand-chose ; et toute l'excellence de leur art consiste en un pompeux galimatias[5], en un spécieux babil[6],

---

1. Momerie : mascarade.

2. Les ressorts de notre machine : le fonctionnement du corps humain.

3. Ne voient goutte : ne comprennent rien.

4. Humanités : connaissances littéraires.

5. Pompeux galimatias : discours prétentieux... et incompréhensible.

6. Spécieux babil : discours en apparence sophistiqué, mais qui n'est que du bavardage.

qui vous donne des mots pour des raisons, et des promesses pour des effets.

90 ARGAN. – Mais enfin, mon frère, il y a des gens aussi sages et aussi habiles que vous ; et nous voyons que, dans la maladie, tout le monde a recours aux médecins.

BÉRALDE. – C'est une marque de la faiblesse humaine, et non pas de la vérité de leur art.

95 ARGAN. – Mais il faut bien que les médecins croient leur art véritable, puisqu'ils s'en servent pour eux-mêmes.

BÉRALDE. – C'est qu'il y en a parmi eux qui sont eux-mêmes dans l'erreur populaire, dont ils profitent, et d'autres qui en profitent sans y être. Votre Monsieur Purgon, par exemple, n'y
100 sait point de finesse[1] : c'est un homme tout médecin, depuis la tête jusqu'aux pieds ; un homme qui croit à ses règles plus qu'à toutes les démonstrations des mathématiques, et qui croirait du crime à les vouloir examiner[2] ; qui ne voit rien d'obscur dans la médecine, rien de douteux, rien de difficile,
105 et qui, avec une impétuosité de prévention[3], une roideur de confiance[4], une brutalité de sens commun et de raison, donne au travers[5] des purgations et des saignées[6], et ne balance aucune chose[7]. Il ne lui faut point vouloir mal de tout ce qu'il pourra vous faire : c'est de la meilleure foi du monde

---

1. *N'y sait point de finesse* : ne cherche pas à tromper.
2. *Qui croirait du crime à les vouloir examiner* : qui trouverait criminel de les remettre en cause.
3. *Impétuosité de prévention* : empressement excessif à vouloir prévenir les maladies.
4. *Roideur de confiance* : confiance inébranlable, inflexible (dans les doctrines de la médecine).
5. *Au travers* : à tort et à travers, en toutes occasions.
6. *Saignées* : actions qui consistent à faire s'écouler le sang du patient en ouvrant légèrement ses veines.
7. *Ne balance aucune chose* : ne met rien en doute.

110   qu'il vous expédiera[1], et il ne fera, en vous tuant, que ce qu'il
a fait à sa femme et à ses enfants, et ce qu'en un besoin il
ferait à lui-même.

ARGAN. – C'est que vous avez, mon frère, une dent de lait contre
lui[2]. Mais enfin venons au fait. Que faire donc quand on
115   est malade ?

BÉRALDE. – Rien, mon frère.

ARGAN. – Rien ?

BÉRALDE. – Rien. Il ne faut que demeurer en repos. La nature,
d'elle-même, quand nous la laissons faire, se tire doucement
120   du désordre où elle est tombée. C'est notre inquiétude, c'est
notre impatience qui gâte tout, et presque tous les hommes
meurent de leurs remèdes, et non pas de leurs maladies.

ARGAN. – Mais il faut demeurer d'accord, mon frère, qu'on peut
aider cette nature par de certaines choses.

125 BÉRALDE. – Mon Dieu ! mon frère, ce sont pures idées, dont nous
aimons à nous repaître ; et, de tout temps, il s'est glissé parmi
les hommes de belles imaginations, que nous venons à croire,
parce qu'elles nous flattent et qu'il serait à souhaiter qu'elles
fussent véritables. Lorsqu'un médecin vous parle d'aider, de
130   secourir, de soulager la nature, de lui ôter ce qui lui nuit et
lui donner ce qui lui manque, de la rétablir et de la remettre
dans une pleine facilité de ses fonctions ; lorsqu'il vous parle
de rectifier le sang, de tempérer les entrailles et le cerveau, de
dégonfler la rate, de raccommoder la poitrine, de réparer le
135   foie, de fortifier le cœur, de rétablir et conserver la chaleur
naturelle, et d'avoir des secrets pour étendre la vie à de
longues années : il vous dit justement le roman[3] de la médecine. Mais quand vous en venez à la vérité et à l'expérience,

---

1. *Expédiera* : tuera rapidement.
2. *Vous avez une dent de lait contre lui* : vous lui en voulez depuis
longtemps.
3. *Roman* : mensonge.

vous ne trouvez rien de tout cela, et il en est comme de ces
140 beaux songes[1] qui ne vous laissent au réveil que le déplaisir
de les avoir crus.

ARGAN. – C'est-à-dire que toute la science du monde est renfermée dans votre tête, et vous voulez en savoir plus que tous les grands médecins de notre siècle.

145 BÉRALDE. – Dans les discours et dans les choses, ce sont deux sortes de personnes que vos grands médecins. Entendez-les parler : les plus habiles gens du monde ; voyez-les faire : les plus ignorants de tous les hommes.

ARGAN. – Hoy ! Vous êtes un grand docteur, à ce que je vois, et je
150 voudrais bien qu'il y eût ici quelqu'un de ces Messieurs pour rembarrer vos raisonnements et rabaisser votre caquet[2].

BÉRALDE. – Moi, mon frère, je ne prends point à tâche de combattre la médecine ; et chacun, à ses périls et fortune, peut croire tout ce qu'il lui plaît. Ce que j'en dis n'est qu'entre
155 nous, et j'aurais souhaité de pouvoir un peu vous tirer de l'erreur où vous êtes, et, pour vous divertir, vous mener voir sur ce chapitre[3] quelqu'une des comédies de Molière.

ARGAN. – C'est un bon impertinent que votre Molière avec ses comédies, et je le trouve bien plaisant[4] d'aller jouer[5] d'hon-
160 nêtes gens comme les médecins.

BÉRALDE. – Ce ne sont point les médecins qu'il joue, mais le ridicule de la médecine.

ARGAN. – C'est bien à lui à faire de se mêler de contrôler la médecine ; voilà un bon nigaud, un bon impertinent, de se moquer
165 des consultations et des ordonnances, de s'attaquer au corps

---

1. *Songes* : rêves.
2. *Rabaisser votre caquet* : réprimer votre insolence.
3. *Sur ce chapitre* : sur ce thème.
4. *Plaisant* : qui fait rire malgré lui (emploi ironique).
5. *Jouer* : ici, se moquer.

des médecins, et d'aller mettre sur son théâtre des personnes vénérables comme ces messieurs-là.

BÉRALDE. – Que voulez-vous qu'il y mette que[1] les diverses professions des hommes ? On y met bien tous les jours les princes et les rois, qui sont d'aussi bonne maison que[2] les médecins.

ARGAN. – Par la mort non de diable ! si j'étais que des médecins[3], je me vengerais de son impertinence ; et quand il sera malade, je le laisserais mourir sans secours. Il aurait beau faire et beau dire, je ne lui ordonnerais pas la moindre petite saignée, le moindre petit lavement, et je lui dirais : « Crève, crève ! cela t'apprendra une autre fois à te jouer à[4] la Faculté. »

BÉRALDE. – Vous voilà bien en colère contre lui.

ARGAN. – Oui, c'est un malavisé[5], et si les médecins sont sages, ils feront ce que je dis.

BÉRALDE. – Il sera encore plus sage que vos médecins, car il ne leur demandera point de secours.

ARGAN. – Tant pis pour lui s'il n'a point recours aux remèdes.

BÉRALDE. – Il a ses raisons pour n'en point vouloir, et il soutient que cela n'est permis qu'aux gens vigoureux et robustes, et qui ont des forces de reste pour porter[6] les remèdes avec la maladie ; mais que, pour lui, il n'a justement de la force que pour porter son mal.

ARGAN. – Les sottes raisons que voilà ! Tenez, mon frère, ne parlons point de cet homme-là davantage, car cela m'échauffe la bile, et vous me donneriez mon mal.

---

1. *Qu'il y mette que* : qu'il y mette d'autre que.
2. *D'aussi bonne maison que* : aussi distingués (sous-entendu : si ce n'est plus) que.
3. *Si j'étais que des médecins* : si j'étais à la place des médecins.
4. *Te jouer à* : t'attaquer à.
5. *Un malavisé* : quelqu'un qui agit au mauvais moment ou sans réfléchir.
6. *Porter* : endurer.

BÉRALDE. – Je le veux bien, mon frère ; et, pour changer de discours, je vous dirai que, sur une petite répugnance[1] que vous témoigne votre fille, vous ne devez point prendre les résolutions violentes de la mettre dans un couvent ; que, pour le choix d'un gendre, il ne vous faut pas suivre aveuglément la passion qui vous emporte, et qu'on doit, sur cette matière, s'accommoder un peu à l'inclination d'une fille, puisque c'est pour toute la vie, et que de là dépend tout le bonheur d'un mariage.

Scène 4

MONSIEUR FLEURANT, *une seringue à la main* ;
ARGAN, BÉRALDE

ARGAN. – Ah ! mon frère, avec votre permission.

BÉRALDE. – Comment ? que voulez-vous faire ?

ARGAN. – Prendre ce petit lavement-là ; ce sera bientôt fait.

BÉRALDE. – Vous vous moquez. Est-ce que vous ne sauriez être un moment sans lavement ou sans médecine ? Remettez cela à une autre fois, et demeurez un peu en repos.

ARGAN. – Monsieur Fleurant, à ce soir, ou à demain au matin.

MONSIEUR FLEURANT, *à Béralde.* – De quoi vous mêlez-vous de vous opposer aux ordonnances de la médecine, et d'empêcher Monsieur de prendre mon clystère ? Vous êtes bien plaisant d'avoir cette hardiesse-là !

BÉRALDE. – Allez, Monsieur, on voit bien que vous n'avez pas accoutumé de parler à des visages[2].

---

1. *Répugnance* : résistance.

2. *Vous n'avez pas accoutumé de parler à des visages* : vous n'êtes pas habitué à parler aux gens en face. Béralde sous-entend que M. Fleurant passe plus de temps à voir le derrière de ses patients que leur tête.

MONSIEUR FLEURANT. – On ne doit point ainsi se jouer des
15   remèdes, et me faire perdre mon temps. Je ne suis venu ici que
sur une bonne ordonnance, et je vais dire à Monsieur Purgon
comme[1] on m'a empêché d'exécuter ses ordres et de faire ma
fonction. Vous verrez, vous verrez…

ARGAN. – Mon frère, vous serez cause ici de quelque malheur.

20   BÉRALDE. – Le grand malheur de ne pas prendre un lavement que
Monsieur Purgon a ordonné. Encore un coup[2], mon frère,
est-il possible qu'il n'y ait pas moyen de vous guérir de la
maladie des médecins, et que vous vouliez être, toute votre
vie, enseveli dans leurs remèdes ?

25   ARGAN. – Mon Dieu ! mon frère, vous en parlez comme un
homme qui se porte bien ; mais, si vous étiez à ma place, vous
changeriez bien de langage. Il est aisé de parler contre la
médecine quand on est en pleine santé.

BÉRALDE. – Mais quel mal avez-vous ?

30   ARGAN. – Vous me feriez enrager. Je voudrais que vous l'eussiez
mon mal, pour voir si vous jaseriez tant. Ah ! voici Monsieur Purgon.

Scène 5

MONSIEUR PURGON, ARGAN, BÉRALDE, TOINETTE

MONSIEUR PURGON. – Je viens d'apprendre là-bas, à la porte, de
jolies nouvelles : qu'on se moque ici de mes ordonnances, et
qu'on a fait refus de prendre le remède que j'avais prescrit.

ARGAN. – Monsieur, ce n'est pas…

---

1. *Comme* : comment, de quelle manière.
2. *Encore un coup* : encore une fois.

5 MONSIEUR PURGON. – Voilà une hardiesse bien grande, une étrange rébellion d'un malade contre son médecin.

TOINETTE. – Cela est épouvantable.

MONSIEUR PURGON. – Un clystère que j'avais pris plaisir à composer moi-même.

10 ARGAN. – Ce n'est pas moi…

MONSIEUR PURGON. – Inventé et formé dans toutes les règles de l'art.

TOINETTE. – Il a tort.

MONSIEUR PURGON. – Et qui devait faire dans des entrailles un
15   effet merveilleux…

ARGAN. – Mon frère ?

MONSIEUR PURGON. – Le renvoyer avec mépris !

ARGAN. – C'est lui…

MONSIEUR PURGON. – C'est une action exorbitante[1].

20 TOINETTE. – Cela est vrai.

MONSIEUR PURGON. – Un attentat énorme contre la médecine.

ARGAN. – Il est cause…

MONSIEUR PURGON. – Un crime de lèse-Faculté, qui ne se peut assez punir.

25 TOINETTE. – Vous avez raison.

MONSIEUR PURGON. – Je vous déclare que je romps commerce[2] avec vous.

ARGAN. – C'est mon frère…

MONSIEUR PURGON. – Que je ne veux plus d'alliance avec vous[3].

---

1. M. Purgon utilise dans cette réplique et les suivantes le vocabulaire de la justice : *exorbitant* signifie «ce qui est contraire au droit» (d'où, ici, ce qui est excessif) ; un *attentat* est une action qui va à l'encontre des lois, et un *crime de lèse-Faculté* une action qui porte atteinte à la grandeur de la faculté de médecine (formule calquée sur l'expression «crime de lèse-majesté»).

2. *Je romps commerce* : je ne veux plus être en relation.

3. *Je ne veux plus d'alliance avec vous* : je m'oppose au mariage qui aurait pu lier nos familles.

30 TOINETTE. – Vous ferez bien.

MONSIEUR PURGON. – Et que, pour finir toute liaison avec vous, voilà la donation que je faisais à mon neveu, en faveur du mariage.

ARGAN. – C'est mon frère qui a fait tout le mal.

35 MONSIEUR PURGON. – Mépriser mon clystère !

ARGAN. – Faites-le venir, je m'en vais le prendre.

MONSIEUR PURGON. – Je vous aurais tiré d'affaire avant qu'il fût peu.

TOINETTE. – Il ne le mérite pas.

40 MONSIEUR PURGON. – J'allais nettoyer votre corps et en évacuer entièrement les mauvaises humeurs.

ARGAN. – Ah, mon frère !

MONSIEUR PURGON. – Et je ne voulais plus qu'une douzaine de médecines, pour vider le fond du sac[1].

45 TOINETTE. – Il est indigne de vos soins.

MONSIEUR PURGON. – Mais puisque vous n'avez pas voulu guérir par mes mains.

ARGAN. – Ce n'est pas ma faute.

MONSIEUR PURGON. – Puisque vous vous êtes soustrait de
50 l'obéissance que l'on doit à son médecin.

TOINETTE. – Cela crie vengeance.

MONSIEUR PURGON. – Puisque vous vous êtes déclaré rebelle aux remèdes que je vous ordonnais…

ARGAN. – Hé ! point du tout.

55 MONSIEUR PURGON. – J'ai à vous dire que je vous abandonne à votre mauvaise constitution, à l'intempérie de vos entrailles, à la corruption de votre sang, à l'âcreté[2] de votre bile et à la féculence[3] de vos humeurs.

---

1. *Vider le fond du sac* : nettoyer définitivement l'intestin.

2. *Âcreté* : qualité de ce qui est âcre ; le mot est ici employé au sens figuré : corrompu, malade.

3. *Féculence* : impureté.

TOINETTE. – C'est fort bien fait.

60 ARGAN. – Mon Dieu !

MONSIEUR PURGON. – Et je veux qu'avant qu'il soit quatre jours vous deveniez dans un état incurable[1].

ARGAN. – Ah ! miséricorde !

MONSIEUR PURGON. – Que vous tombiez dans la bradypepsie[2].

65 ARGAN. – Monsieur Purgon !

MONSIEUR PURGON. – De la bradypepsie dans la dyspepsie.

ARGAN. – Monsieur Purgon !

MONSIEUR PURGON. – De la dyspepsie dans l'apepsie.

ARGAN. – Monsieur Purgon !

70 MONSIEUR PURGON. – De l'apepsie dans la lienterie[3]…

ARGAN. – Monsieur Purgon !

MONSIEUR PURGON. – De la lienterie dans la dysenterie…

ARGAN. – Monsieur Purgon !

MONSIEUR PURGON. – De la dysenterie dans l'hydropisie[4]…

75 ARGAN. – Monsieur Purgon !

MONSIEUR PURGON. – Et de l'hydropisie dans la privation de la vie, où vous aura conduit votre folie.

Scène 6

ARGAN, BÉRALDE

ARGAN. – Ah, mon Dieu ! je suis mort. Mon frère, vous m'avez perdu.

---

1. *Incurable* : inguérissable.

2. *Bradypepsie*, *dyspepsie* et *apepsie* sont des termes qui se rapportent à la digestion. Le premier désigne une digestion lente, le deuxième une digestion difficile et le troisième une absence de digestion.

3. La *lienterie* et la *dysenterie* définissent la diarrhée.

4. *Hydropisie* : ici, quantité d'eau anormale dans les intestins.

BÉRALDE. – Quoi ? qu'y a-t-il ?

ARGAN. – Je n'en puis plus. Je sens déjà que la médecine se venge.

5 BÉRALDE. – Ma foi ! mon frère, vous êtes fou, et je ne voudrais pas, pour beaucoup de choses, qu'on vous vît faire ce que vous faites. Tâtez-vous un peu[1], je vous prie, revenez à vous-même, et ne donnez point tant à votre imagination.

ARGAN. – Vous voyez, mon frère, les étranges maladies dont il 10 m'a menacé.

BÉRALDE. – Le simple[2] homme que vous êtes !

ARGAN. – Il dit que je deviendrai incurable avant qu'il soit quatre jours.

BÉRALDE. – Et ce qu'il dit, que fait-il à la chose[3] ? Est-ce un 15 oracle[4] qui a parlé ? Il me semble, à vous entendre, que Monsieur Purgon tienne dans ses mains le filet de vos jours[5], et que, d'autorité suprême, il vous l'allonge et vous le raccourcisse comme il lui plaît. Songez que les principes de votre vie sont en vous-même, et que le courroux[6] de Monsieur Purgon 20 est aussi peu capable de vous faire mourir que ses remèdes de vous faire vivre. Voici une aventure, si vous voulez, à vous défaire des médecins, ou, si vous êtes né à ne pouvoir vous en passer, il est aisé d'en avoir un autre, avec lequel, mon frère, vous puissiez courir un peu moins de risque.

25 ARGAN. – Ah ! mon frère, il sait tout mon tempérament et la manière dont il faut me gouverner.

---

1. *Tâtez-vous un peu* : reprenez vos esprits, interrogez-vous.

2. *Simple* : naïf.

3. *Et ce qu'il dit, que fait-il à la chose* : et ses paroles agissent-elles sur votre santé ?

4. *Oracle* : interprète de la volonté divine.

5. *Le filet de vos jours* : les jours qu'il vous reste à vivre. Dans l'Antiquité, on pensait que les Parques (divinités du destin) filaient puis coupaient le fil de la vie humaine.

6. *Le courroux* : la colère.

BÉRALDE. – Il faut vous avouer que vous êtes un homme d'une grande prévention[1], et que vous voyez les choses avec d'étranges yeux.

Scène 7

TOINETTE, ARGAN, BÉRALDE

TOINETTE. – Monsieur, voilà un médecin qui demande à vous voir.

ARGAN. – Et quel médecin ?

TOINETTE. – Un médecin de la médecine.

5 ARGAN. – Je te demande qui il est ?

TOINETTE. – Je ne le connais pas ; mais il me ressemble comme deux gouttes d'eau, et si je n'étais sûre que ma mère était honnête femme, je dirais que ce serait quelque petit frère qu'elle m'aurait donné depuis le trépas[2] de mon père.

10 ARGAN. – Fais-le venir.

BÉRALDE. – Vous êtes servi à souhait : un médecin vous quitte, un autre se présente.

ARGAN. – J'ai bien peur que vous ne soyez cause de quelque malheur.

15 BÉRALDE. – Encore ! vous en revenez toujours là ?

ARGAN. – Voyez-vous ? j'ai sur le cœur toutes ces maladies-là que je ne connais point, ces...

---

1. *D'une grande prévention* : qui a beaucoup de préjugés.
2. *Le trépas* : la mort.

Scène 8

Toinette. – Monsieur, agréez[1] que je vienne vous rendre visite et vous offrir mes petits services pour toutes les saignées et les purgations dont vous aurez besoin.

Argan. – Monsieur, je vous suis fort obligé[2]. Par ma foi ! voilà
5   Toinette elle-même.

Toinette. – Monsieur, je vous prie de m'excuser, j'ai oublié de donner une commission à mon valet ; je reviens tout à l'heure[3].

Argan. – Eh ! ne diriez-vous pas que c'est effectivement
10   Toinette ?

Béralde. – Il est vrai que la ressemblance est tout à fait grande. Mais ce n'est pas la première fois qu'on a vu de ces sortes de choses, et les histoires ne sont pleines que de ces jeux de la nature.

15 Argan. – Pour moi, j'en suis surpris, et...

Scène 9

Toinette, Argan, Béralde

Toinette *quitte son habit de médecin si promptement qu'il est difficile de croire que ce soit elle qui a paru en médecin.* – Que voulez-vous, Monsieur ?

Argan. – Comment ?

---

1. *Agréez* : trouvez bon (formule de politesse).
2. *Je vous suis fort obligé* : je vous remercie beaucoup (formule de politesse).
3. *Tout à l'heure* : sur-le-champ, tout de suite.

TOINETTE. – Ne m'avez-vous pas appelée ?

ARGAN. – Moi ? non.

TOINETTE. – Il faut donc que les oreilles m'aient corné[1].

ARGAN. – Demeure un peu ici pour voir comme ce médecin te ressemble.

10 TOINETTE, *en sortant*. – Oui, vraiment, j'ai affaire là-bas, et je l'ai assez vu.

ARGAN. – Si je ne les voyais tous deux, je croirais que ce n'est qu'un.

BÉRALDE. – J'ai lu des choses surprenantes de[2] ces sortes de res-
15 semblances, et nous en avons vu de notre temps où tout le monde s'est trompé.

ARGAN. – Pour moi, j'aurais été trompé à celle-là, et j'aurais juré que c'est la même personne.

Scène 10

TOINETTE, *en médecin* ; ARGAN, BÉRALDE

TOINETTE. – Monsieur, je vous demande pardon de tout mon cœur.

ARGAN. – Cela est admirable[3] !

TOINETTE. – Vous ne trouverez pas mauvais, s'il vous plaît, la
5 curiosité que j'ai eue de voir un illustre malade comme vous êtes ; et votre réputation, qui s'étend partout, peut excuser la liberté que j'ai prise.

ARGAN. – Monsieur, je suis votre serviteur[4].

---

1. *Les oreilles m'aient corné* : mes oreilles aient sifflé.
2. *De* : à propos de.
3. *Admirable* : étonnant, stupéfiant.
4. *Je suis votre serviteur* : je vous remercie (formule de politesse).

TOINETTE. – Je vois, Monsieur, que vous me regardez fixement.
10   Quel âge croyez-vous bien que j'aie ?

ARGAN. – Je crois que tout au plus vous pouvez avoir vingt-six ou vingt-sept ans.

TOINETTE. – Ah ! ah ! ah ! ah ! ah ! j'en ai quatre-vingt-dix.

ARGAN. – Quatre-vingt-dix ?

15 TOINETTE. – Oui. Vous voyez un effet des secrets de mon art, de me conserver ainsi frais et vigoureux.

ARGAN. – Par ma foi ! voilà un beau jeune vieillard pour quatre-vingt-dix ans.

TOINETTE. – Je suis médecin passager[1], qui vais de ville en ville,
20   de province en province, de royaume en royaume, pour chercher d'illustres matières à ma capacité[2], pour trouver des
malades dignes de m'occuper, capables d'exercer les grands
et beaux secrets que j'ai trouvés dans la médecine. Je
dédaigne de m'amuser à ce menu fatras[3] de maladies ordi-
25   naires, à ces bagatelles de rhumatismes et défluxions[4], à ces
fiévrottes[5], à ces vapeurs[6], et à ces migraines. Je veux des
maladies d'importance : de bonnes fièvres continues avec des
transports au cerveau[7], de bonnes fièvres pourprées[8], de
bonnes pestes, de bonnes hydropisies formées, de bonnes
30   pleurésies[9], avec des inflammations de poitrine : c'est là que

---

1. *Passager* : ambulant.
2. *D'illustres matières à ma capacité* : des patients dont la maladie soit digne de mon talent.
3. *Fatras* : tas, amoncellement confus.
4. *Défluxions* : trop grandes quantités de liquide dans le corps.
5. *Fiévrottes* : petites fièvres.
6. *Vapeurs* : selon la médecine du XVIIe siècle, fumées qui s'élèvent du ventre vers le cerveau, troublant ainsi l'esprit du malade.
7. *Transports au cerveau* : délires.
8. *Fièvres pourprées* : fièvres qui s'accompagnent de boutons ou de taches rouges sur la peau.
9. *Pleurésies* : inflammations des poumons.

je me plais, c'est là que je triomphe ; et je voudrais, Monsieur,
que vous eussiez toutes les maladies que je viens de dire, que
vous fussiez abandonné de tous les médecins, désespéré, à
l'agonie, pour vous montrer l'excellence de mes remèdes, et
35   l'envie que j'aurais de vous rendre service.

ARGAN. – Je vous suis obligé, Monsieur, des bontés que vous avez
pour moi.

TOINETTE. – Donnez-moi votre pouls. Allons donc, que l'on
batte comme il faut. Ahy, je vous ferai bien aller comme vous
40   devez. Hoy, ce pouls-là fait l'impertinent : je vois bien que
vous ne me connaissez pas encore. Qui est votre médecin ?

ARGAN. – Monsieur Purgon.

TOINETTE. – Cet homme-là n'est point écrit sur mes tablettes
entre les grands médecins. De quoi dit-il que vous êtes
45   malade ?

ARGAN. – Il dit que c'est du foie, et d'autres disent que c'est de
la rate.

TOINETTE. – Ce sont tous des ignorants : c'est du poumon que
vous êtes malade.

50 ARGAN. – Du poumon ?

TOINETTE. – Oui. Que sentez-vous ?

ARGAN. – Je sens de temps en temps des douleurs de tête.

TOINETTE. – Justement, le poumon.

ARGAN. – Il me semble parfois que j'ai un voile devant les yeux.

55 TOINETTE. – Le poumon.

ARGAN. – J'ai quelquefois des maux de cœur.

TOINETTE. – Le poumon.

ARGAN. – Je sens parfois des lassitudes par tous les membres.

TOINETTE. – Le poumon.

60 ARGAN. – Et quelquefois il me prend des douleurs dans le ventre,
comme si c'était des coliques.

TOINETTE. – Le poumon. Vous avez appétit à ce que vous
mangez ?

ARGAN. – Oui, Monsieur.

65 TOINETTE. – Le poumon. Vous aimez à boire un peu de vin ?

ARGAN. – Oui, Monsieur.

TOINETTE. – Le poumon. Il vous prend un petit sommeil après le repas et vous êtes bien aise de dormir ?

ARGAN. – Oui, Monsieur.

70 TOINETTE. – Le poumon, le poumon, vous dis-je. Que vous ordonne votre médecin pour votre nourriture ?

ARGAN. – Il m'ordonne du potage.

TOINETTE. – Ignorant.

ARGAN. – De la volaille.

75 TOINETTE. – Ignorant.

ARGAN. – Du veau.

TOINETTE. – Ignorant.

ARGAN. – Des bouillons.

TOINETTE. – Ignorant.

80 ARGAN. – Des œufs frais.

TOINETTE. – Ignorant.

ARGAN. – Et le soir de petits pruneaux pour lâcher le ventre.

TOINETTE. – Ignorant.

ARGAN. – Et surtout de boire mon vin fort trempé[1].

85 TOINETTE. – *Ignorantus, ignoranta, ignorantum*[2]. Il faut boire votre vin pur ; et pour épaissir votre sang qui est trop subtil[3], il faut manger de bon gros bœuf, de bon gros porc, de bon fromage de Hollande, du gruau[4] et du riz, et des marrons et des oublies[5], pour coller et conglutiner[6]. Votre médecin est une

---

1. *Trempé* : dilué avec de l'eau.

2. *Ignorantus*, *ignoranta*, *ignorantum* : ignorant (latin parodique formé à partir de l'adjectif « ignorant » et décliné selon les genres masculin, féminin et neutre).

3. *Subtil* : léger, fluide.

4. *Gruau* : bouillie de farine d'avoine.

5. *Oublies* : pâtisseries.

6. *Conglutiner* : rendre plus épais, visqueux et collant.

90   bête. Je veux vous en envoyer un de ma main, et je viendrai
       vous voir de temps en temps, tandis que je serai en cette ville.

ARGAN. – Vous m'obligez beaucoup[1].

TOINETTE. – Que diantre faites-vous de ce bras-là ?

ARGAN. – Comment ?

95 TOINETTE. – Voilà un bras que je me ferais couper tout à l'heure[2],
       si j'étais que de vous.

ARGAN. – Et pourquoi ?

TOINETTE. – Ne voyez-vous pas qu'il tire à soi toute la nourriture,
       et qu'il empêche ce côté-là de profiter ?

100 ARGAN. – Oui ; mais j'ai besoin de mon bras.

TOINETTE. – Vous avez là aussi un œil droit que je me ferais
       crever, si j'étais en votre place.

ARGAN. – Crever un œil ?

TOINETTE. – Ne voyez-vous pas qu'il incommode l'autre, et lui
105   dérobe sa nourriture ? Croyez-moi, faites-vous-le crever au
       plus tôt, vous en verrez plus clair de l'œil gauche.

ARGAN. – Cela n'est pas pressé.

TOINETTE. – Adieu. Je suis fâché de vous quitter si tôt ; mais il faut
       que je me trouve à une grande consultation qui se doit faire
110   pour un homme qui mourut hier.

ARGAN. – Pour un homme qui mourut hier ?

Toinette. – Oui, pour aviser, et voir ce qu'il aurait fallu lui faire
       pour le guérir. Jusqu'au revoir.

ARGAN. – Vous savez que les malades ne reconduisent point[3].

115 BÉRALDE. – Voilà un médecin vraiment qui paraît fort habile.

ARGAN. – Oui, mais il va un peu bien vite.

BÉRALDE. – Tous les grands médecins sont comme cela.

---

1. *Vous m'obligez beaucoup* : je vous suis très reconnaissant (formule de
politesse).
2. *Tout à l'heure* : sur-le-champ, tout de suite.
3. *Ne reconduisent point* : ne raccompagnent pas leurs hôtes jusqu'à la
porte.

ARGAN. – Me couper un bras, et me crever un œil, afin que l'autre
se porte mieux ? J'aime bien mieux qu'il ne se porte pas si
120   bien. La belle opération, de me rendre borgne et manchot !

Scène 11

TOINETTE, ARGAN, BÉRALDE

TOINETTE. – Allons, allons, je suis votre servante, je n'ai pas envie
de rire.

ARGAN. – Qu'est-ce que c'est ?

TOINETTE. – Votre médecin, ma foi ! qui me voulait tâter le pouls.

5 ARGAN. – Voyez un peu, à l'âge de quatre-vingt-dix ans !

BÉRALDE. – Oh çà, mon frère, puisque voilà votre Monsieur
Purgon brouillé avec vous[1], ne voulez-vous pas bien que je
vous parle du parti qui s'offre pour ma nièce ?

ARGAN. – Non, mon frère : je veux la mettre dans un couvent,
10   puisqu'elle s'est opposée à mes volontés. Je vois bien qu'il y
a quelque amourette là-dessous, et j'ai découvert certaine
entrevue secrète, qu'on ne sait pas que j'aie découverte.

BÉRALDE. – Hé bien ! mon frère, quand il y aurait quelque petite
inclination, cela serait-il si criminel, et rien peut-il vous offen-
15   ser, quand tout ne va qu'à des choses honnêtes comme le
mariage ?

ARGAN. – Quoi qu'il en soit, mon frère, elle sera religieuse, c'est
une chose résolue[2].

BÉRALDE. – Vous voulez faire plaisir à quelqu'un.

---

1. *Brouillé avec vous* : en colère contre vous.
2. *Résolue* : décidée.

20 ARGAN. – Je vous entends : vous en revenez toujours là, et ma femme vous tient au cœur.

BÉRALDE. – Hé bien ! oui, mon frère, puisqu'il faut parler à cœur ouvert, c'est votre femme que je veux dire ; et non plus que[1] l'entêtement de la médecine, je ne puis vous souffrir l'entête-
25 ment où vous êtes pour elle, et voir que vous donniez tête baissée dans tous les pièges qu'elle vous tend.

TOINETTE. – Ah ! Monsieur, ne parlez point de Madame : c'est une femme sur laquelle il n'y a rien à dire, une femme sans artifice[2], et qui aime Monsieur, qui l'aime… on ne peut pas
30 dire cela.

ARGAN. – Demandez-lui un peu les caresses qu'elle me fait.

TOINETTE. – Cela est vrai.

ARGAN. – L'inquiétude que lui donne ma maladie.

TOINETTE. – Assurément.

35 ARGAN. – Et les soins et les peines qu'elle prend autour de moi.

TOINETTE. – Il est certain. Voulez-vous que je vous convainque, et vous fasse voir tout à l'heure[3] comme Madame aime Monsieur ? Monsieur, souffrez que je lui montre son bec jaune[4], et le tire d'erreur.

40 ARGAN. – Comment ?

TOINETTE. – Madame s'en va revenir. Mettez-vous tout étendu dans cette chaise, et contrefaites le mort. Vous verrez la douleur où elle sera, quand je lui dirai la nouvelle.

ARGAN. – Je le veux bien.

45 TOINETTE. – Oui ; mais ne la laissez pas longtemps dans le désespoir, car elle en pourrait bien mourir.

ARGAN. – Laisse-moi faire.

TOINETTE, *à Béralde*. – Cachez-vous, vous, dans ce coin-là.

---

1. *Non plus que* : pas plus que.
2. *Sans artifice* : honnête.
3. *Tout à l'heure* : sur-le-champ, tout de suite.
4. *Son bec jaune* : son ignorance.

ARGAN. – N'y a-t-il point quelque danger à contrefaire le mort?

50 TOINETTE. – Non, non : quel danger y aurait-il? Étendez-vous là
seulement. *(Bas.)* Il y aura plaisir à confondre[1] votre frère.
Voici Madame. Tenez-vous bien.

Scène 12

BÉLINE, TOINETTE, ARGAN, BÉRALDE

TOINETTE *s'écrie.* – Ah, mon Dieu! Ah, malheur! Quel étrange
accident[2]!

BÉLINE. – Qu'est-ce, Toinette?

TOINETTE. – Ah, Madame!

5 BÉLINE. – Qu'y a-t-il?

TOINETTE. – Votre mari est mort.

BÉLINE. – Mon mari est mort?

TOINETTE. – Hélas! oui. Le pauvre défunt est trépassé.

BÉLINE. – Assurément?

10 TOINETTE. – Assurément. Personne ne sait encore cet accident-là,
et je me suis trouvée ici toute seule. Il vient de passer[3] entre
mes bras. Tenez, le voilà tout de son long dans cette chaise.

BÉLINE. – Le Ciel en soit loué! Me voilà délivrée d'un grand fardeau[4]. Que tu es sotte, Toinette, de t'affliger de cette mort!

15 TOINETTE. – Je pensais, Madame, qu'il fallût pleurer.

BÉLINE. – Va, va, cela n'en vaut pas la peine. Quelle perte est-ce
que la sienne? et de quoi servait-il sur la terre? Un homme
incommode à tout le monde, malpropre, dégoûtant, sans

---

1. *Confondre* : réduire à n'avoir rien à répondre.

2. *Accident* : événement imprévu.

3. *Passer* : trépasser, mourir.

4. *Fardeau* : poids.

cesse un lavement ou une médecine dans le ventre, mou-
20 chant, toussant, crachant toujours, sans esprit, ennuyeux, de
mauvaise humeur, fatiguant sans cesse les gens, et grondant
jour et nuit servantes et valets.

TOINETTE. – Voilà une belle oraison funèbre[1].

BÉLINE. – Il faut, Toinette, que tu m'aides à exécuter mon dessein,
25 et tu peux croire qu'en me servant ta récompense est sûre.
Puisque, par un bonheur, personne n'est encore averti de la
chose, portons-le dans son lit, et tenons cette mort cachée,
jusqu'à ce que j'aie fait mon affaire. Il y a des papiers, il y a
de l'argent dont je veux me saisir, et il n'est pas juste que j'aie
30 passé sans fruit[2] auprès de lui mes plus belles années. Viens,
Toinette, prenons auparavant toutes ses clefs.

ARGAN, *se levant brusquement*. – Doucement.

BÉLINE, *surprise et épouvantée*. – Ahy !

ARGAN. – Oui, Madame ma femme, c'est ainsi que vous m'aimez ?
35 TOINETTE. – Ah, ah ! le défunt n'est pas mort.

ARGAN, *à Béline, qui sort*. – Je suis bien aise de voir votre amitié,
et d'avoir entendu le beau panégyrique[3] que vous avez fait de
moi. Voilà un avis au lecteur[4] qui me rendra sage à l'avenir,
et qui m'empêchera de faire bien des choses.

40 BÉRALDE, *sortant de l'endroit où il était caché*. – Hé bien ! mon frère,
vous le voyez.

TOINETTE. – Par ma foi ! Je n'aurais jamais cru cela. Mais
j'entends votre fille : remettez-vous comme vous étiez, et
voyons de quelle manière elle recevra votre mort. C'est une
45 chose qu'il n'est pas mauvais d'éprouver ; et puisque vous
êtes en train, vous connaîtrez par là les sentiments que votre
famille a pour vous.

---

1. *Oraison funèbre* : discours qui trace le portrait élogieux d'un mort.
2. *Sans fruit* : sans bénéfice, pour rien.
3. *Panégyrique* : discours élogieux.
4. *Avis au lecteur* : avertissement.

Scène 13

ANGÉLIQUE, ARGAN, TOINETTE, BÉRALDE

TOINETTE *s'écrie*. – Ô Ciel ! ah ! fâcheuse aventure ! Malheureuse journée !

ANGÉLIQUE. – Qu'as-tu, Toinette, et de quoi pleures-tu ?

TOINETTE. – Hélas ! j'ai de tristes nouvelles à vous donner.

5 ANGÉLIQUE. – Hé quoi ?

TOINETTE. – Votre père est mort.

ANGÉLIQUE. – Mon père est mort, Toinette ?

TOINETTE. – Oui ; vous le voyez là. Il vient de mourir tout à l'heure[1] d'une faiblesse qui lui a pris.

10 ANGÉLIQUE. – Ô Ciel ! quelle infortune ! quelle atteinte cruelle ! Hélas ! faut-il que je perde mon père, la seule chose qui me restait au monde ? et qu'encore, pour un surcroît de désespoir, je le perde dans un moment où il était irrité[2] contre moi ? Que deviendrai-je, malheureuse, et quelle consolation
15 trouver après une si grande perte ?

Scène 14 et dernière

CLÉANTE, ANGÉLIQUE, ARGAN, TOINETTE, BÉRALDE

CLÉANTE. – Qu'avez-vous donc, belle Angélique ? et quel malheur pleurez-vous ?

ANGÉLIQUE. – Hélas ! je pleure tout ce que dans la vie je pouvais perdre de plus cher et de plus précieux : je pleure la mort de
5 mon père.

---

1. *Tout à l'heure* : il y a quelques instants.
2. *Irrité* : en colère.

CLÉANTE. – Ô Ciel ! quel accident ! quel coup inopiné[1] ! Hélas ! après la demande que j'avais conjuré votre oncle de lui faire pour moi, je venais me présenter à lui, et tâcher par mes respects et par mes prières de disposer son cœur à vous accorder à mes vœux.

ANGÉLIQUE. – Ah ! Cléante, ne parlons plus de rien. Laissons là toutes les pensées du mariage. Après la perte de mon père, je ne veux plus être du monde[2], et j'y renonce pour jamais. Oui, mon père, si j'ai résisté tantôt à vos volontés, je veux suivre du moins une de vos intentions, et réparer par là le chagrin que je m'accuse de vous avoir donné. Souffrez, mon père, que je vous en donne ici ma parole, et que je vous embrasse pour vous témoigner mon ressentiment[3].

ARGAN *se lève*. – Ah, ma fille !

ANGÉLIQUE, *épouvantée*. – Ahy !

ARGAN. – Viens. N'aie point de peur, je ne suis pas mort. Va, tu es mon vrai sang, ma véritable fille ; et je suis ravi d'avoir vu ton bon naturel.

ANGÉLIQUE. – Ah ! quelle surprise agréable, mon père ! Puisque par un bonheur extrême le Ciel vous redonne à mes vœux, souffrez qu'ici je me jette à vos pieds pour vous supplier d'une chose. Si vous n'êtes pas favorable au penchant de mon cœur, si vous me refusez Cléante pour époux, je vous conjure au moins de ne me point forcer d'en épouser un autre. C'est toute la grâce que je vous demande.

CLÉANTE *se jette à genoux*. – Eh ! Monsieur, laissez-vous toucher à ses prières et aux miennes, et ne vous montrez point contraire aux mutuels empressements d'une si belle inclination.

BÉRALDE. – Mon frère, pouvez-vous tenir là contre ?

TOINETTE. – Monsieur, serez-vous insensible à tant d'amour ?

---

1. *Inopiné* : inattendu.
2. *Je ne veux plus être du monde* : je veux entrer au couvent.
3. *Ressentiment* : ici, reconnaissance.

ARGAN. – Qu'il se fasse médecin, je consens au mariage. Oui, faites-vous médecin, je vous donne ma fille.

CLÉANTE. – Très volontiers, Monsieur : s'il ne tient qu'à cela pour être votre gendre, je me ferai médecin, apothicaire même, si vous voulez. Ce n'est pas une affaire que cela, et je ferais bien d'autres choses pour obtenir la belle Angélique.

BÉRALDE. – Mais, mon frère, il me vient une pensée : faites-vous médecin vous-même. La commodité sera encore plus grande, d'avoir en vous tout ce qu'il vous faut.

TOINETTE. – Cela est vrai. Voilà le vrai moyen de vous guérir bientôt ; et il n'y a point de maladie si osée, que de se jouer à la personne d'un médecin.

ARGAN. – Je pense, mon frère, que vous vous moquez de moi : est-ce que je suis en âge d'étudier ?

BÉRALDE. – Bon, étudier ! Vous êtes assez savant ; et il y en a beaucoup parmi eux qui ne sont pas plus habiles que vous.

ARGAN. – Mais il faut savoir bien parler latin, connaître les maladies, et les remèdes qu'il y faut faire.

BÉRALDE. – En recevant la robe et le bonnet de médecin, vous apprendrez tout cela, et vous serez après plus habile que vous ne voudrez.

ARGAN. – Quoi ? l'on sait discourir sur les maladies quand on a cet habit-là ?

BÉRALDE. – Oui. L'on n'a qu'à parler avec une robe et un bonnet, tout galimatias devient savant, et toute sottise devient raison.

TOINETTE. – Tenez, Monsieur, quand il n'y aurait que votre barbe, c'est déjà beaucoup, et la barbe fait plus de la moitié d'un médecin.

CLÉANTE. – En tout cas, je suis prêt à tout.

BÉRALDE. – Voulez-vous que l'affaire se fasse tout à l'heure[1] ?

ARGAN. – Comment tout à l'heure ?

_____

1. _Tout à l'heure_ : sur-le-champ, tout de suite.

BÉRALDE. – Oui, et dans votre maison.

ARGAN. – Dans ma maison ?

BÉRALDE. – Oui. Je connais une Faculté de mes amies, qui vien-
70 dra tout à l'heure en faire la cérémonie dans votre salle. Cela
ne vous coûtera rien.

ARGAN. – Mais moi, que dire, que répondre ?

BÉRALDE. – On vous instruira en deux mots, et l'on vous donnera
par écrit ce que vous devez dire. Allez-vous-en vous mettre en
75 habit décent, je vais les envoyer quérir.

ARGAN. – Allons, voyons cela.

CLÉANTE. – Que voulez-vous dire, et qu'entendez-vous avec cette
Faculté de vos amies… ?

TOINETTE. – Quel est donc votre dessein ?

80 BÉRALDE. – De nous divertir un peu ce soir. Les comédiens ont
fait un petit intermède de la réception d'un médecin, avec des
danses et de la musique ; je veux que nous en prenions
ensemble le divertissement, et que mon frère y fasse le premier personnage.

85 ANGÉLIQUE. – Mais mon oncle, il me semble que vous vous jouez
un peu beaucoup de mon père.

BÉRALDE. – Mais, ma nièce, ce n'est pas tant le jouer que
s'accommoder à ses fantaisies. Tout ceci n'est qu'entre nous.
Nous y pouvons aussi prendre chacun un personnage, et
90 nous donner ainsi la comédie les uns aux autres. Le carnaval
autorise cela[1]. Allons vite préparer toutes choses.

CLÉANTE, à Angélique. – Y consentez-vous ?

ANGÉLIQUE. – Oui, puisque mon oncle nous conduit.

---

1. L'action de la pièce se déroule pendant le Carnaval, période de l'année consacrée aux divertissements.

TROISIÈME INTERMÈDE

*C'est une cérémonie burlesque d'un homme qu'on fait médecin en récit,
chant et danse.*

Entrée de ballet

*Plusieurs tapissiers viennent préparer la salle et placer les bancs en
cadence; ensuite de quoi toute l'assemblée (composée de huit porte-
seringues, six apothicaires, vingt-deux docteurs, celui qui se fait recevoir
médecin, huit chirurgiens dansants, et deux chantants) entre, et prend ses
places, selon les rangs.*

PRÆSES	[TRADUCTION] LE PRÉSIDENT
Sçavantissimi doctores,	*Très savants docteurs,*
Medicinae professores,	*Professeurs de médecine,*
Qui hic assemblati estis,	*Qui êtes assemblés ici,*
Et vos, altri Messiores,	*Et vous autres, Messieurs,*
5 *Sententiarum Facultatis*	*Des sentences de la Faculté*
Fideles executores,	*Fidèles exécuteurs,*
Chirurgiani et apothicari,	*Chirurgiens et apothicaires,*
Atque tota compania aussi,	*Et toute la compagnie aussi,*
Salus, honor, et argentum,	*Salut, honneur, et argent,*
10 *Atque bonum appetitum.*	*Et bon appétit!*

Non possum, docti Confreri,	*Je ne peux, doctes confrères,*
En moi satis admirari	*En moi-même admirer assez*
Qualis bona inventio	*Quelle bonne invention*
Est medici professio,	*Est la profession de médecin,*
15 *Quam bella chosa est,*	*Comme c'est une belle chose,*
[et bene trovata,	*[et bien trouvée,*
Medicina illa benedicta,	*Cette médecine bénie*
Quae suo nomine solo,	*Qui, grâce à son seul nom,*
Surprenanti miraculo,	*Miracle surprenant,*
Depuis si longo tempore,	*Depuis si longtemps,*
20 *Facit à gogo vivere*	*Fait vivre à gogo*
Tant de gens omni genere.	*Tant de gens de toute sorte.*
Per totam terram videmus	*Sur toute la terre nous voyons*
Grandam vogam ubi sumus,	*La grande vogue où nous*
	[sommes,
Et quod grandes et petiti	*Et que les grands et les petits*
25 *Sunt de nobis infatuti.*	*Sont de nous infatués.*
Totus mundus, currens ad	*Le monde entier, courant après*
[nostros remedios,	*[nos remèdes,*
Nos regardat sicut Deos ;	*Nous regarde comme des*
	[dieux ;
Et nostris ordonnanciis	*Et à nos ordonnances*
Principes et reges soumissos	*Nous voyons soumis les princes*
[videtis.	*[et les rois.*
30 *Donque il est nostræ*	*Donc il est de notre sagesse,*
[sapientiæ,	
Boni sensus atque prudentiæ,	*De notre bon sens et de notre*
	[prudence,
De fortement travaillare	*De fortement travailler*
A nos bene conservare	*À nous bien conserver*

In tali credito, voga, et honore,	*En tels crédit, vogue, et* *[honneur*
35 *Et prandere gardam à non* *[recevere*	*Et prendre garde à ne recevoir*
In nostro docto corpore	*Dans notre docte corporation*
Quam personas capabiles,	*Que des personnes capables,*
Et totas dignas ramplire	*Et tout à fait dignes de remplir*
Has plaças honorabiles.	*Ces places honorables.*
40 *C'est pour cela que nunc* *[convocati estis :*	*C'est pour cela que vous êtes* *[à présent convoqués :*
Et credo quod trovabitis	*Et je crois que vous trouverez*
Dignam matieram medici	*matière à faire un bon médecin*
In sçavanti homine que voici,	*Dans le savant homme que voici,*
Lequel, in chosis omnibus,	*Lequel, sur toutes choses,*
45 *Dono ad interrogandum,*	*Je vous demande d'interroger,*
Et à fond examinandum	*Et d'examiner à fond*
Vostris capacitatibus.	*Grâce à vos capacités.*

PRIMUS DOCTOR	LE PREMIER DOCTEUR
Si mihi licenciam dat Dominus *[Prœses,*	*Si me le permettent Monsieur* *[le Président*
Et tanti docti Doctores,	*Et tous les doctes docteurs,*
50 *Et assistantes illustres,*	*Et leurs illustres assistants,*
Très sçavanti Bacheliero,	*Au très savant bachelier,*
Quem estimo et honoro,	*Que j'estime et honore,*
Domandabo causam et *[rationem quare*	*Je demanderai la cause et la* *[raison qui font*
Opium facit dormire.	*Que l'opium fait dormir.*

BACHELIERUS

55 *Mihi a docto Doctore*
Domandatur causam et
        [rationem quare
Opium facit dormire :
A quoi respondeo,
Quia est in eo
60 *Virtus dormitiva,*
Cujus est natura
Sensus assoupire.

CHORUS

Bene, bene, bene, bene
        [respondere :
Dignus, dignus est entrare
65 *In nostro docto corpore.*

SECUNDUS DOCTOR

Cum permissione Domini
        [Præsidis,
Doctissimæ Facultatis,
Et totius his nostris actis
Companiæ assistantis,

70 *Domandabo tibi, docte*
        [Bacheliere,
Quæ sunt remedia
Quæ in maladia
Ditte hydropisia
Convenit facere.

BACHELIERUS

75 *Clysterium donare,*
Postea seignare,
Ensuitta purgare.

LE BACHELIER

À moi, le docte docteur
Demande la cause et la raison
        [qui font
Que l'opium fait dormir :
À quoi je réponds,
Qu'il y a en lui
Une vertu dormitive,
Dont c'est la nature
D'endormir les sens.

LE CHŒUR

Bien, bien, bien, bien répondu :

Il est digne, digne d'entrer
Dans notre docte corporation.

LE SECOND DOCTEUR

Avec la permission de Monsieur
        [le Président,
De la très docte Faculté,
Et de toute la compagnie
De ceux qui assistent à nos
        [actes,
Je te demanderai, docte
        [bachelier,
Quels sont les remèdes
Que pour la maladie
Qu'on nomme hydropisie
Il convient de donner.

LE BACHELIER

Il faut clystère donner,
Après saigner,
Ensuite purger.

CHORUS	**LE CHŒUR**
Bene, bene, bene, bene	*Bien, bien, bien, bien répondu.*
[respondere.	
Dignus, dignus est entrare	*Il est digne, digne d'entrer*
80 *In nostro docto corpore.*	*Dans notre docte corporation.*
TERTIUS DOCTOR	**LE TROISIÈME DOCTEUR**
Si bonum semblatur Domino	*Si cela agrée à Monsieur*
[Præsidi,	*[le Président,*
Doctissimæ Facultati,	*De la très docte Faculté,*
Et companiæ præsenti,	*Et à la compagnie ici présente,*
Domandabo tibi, docte	*Je te demanderai, docte*
[Bacheliere,	*[bachelier,*
85 *Quæ remedia eticis,*	*Quels remèdes aux étiques[1],*
Pulmonicis, atque asmaticis,	*Aux pulmoniques[2] et aux*
	[asthmatiques
Trovas à propos facere.	*Tu trouves à propos de donner.*
BACHELIERUS	**LE BACHELIER**
Clysterium donare,	*Il faut clystère donner,*
Postea seignare,	*Après saigner,*
90 *Ensuitta purgare.*	*Ensuite purger.*
CHORUS	**LE CHŒUR**
Bene, bene, bene, bene	*Bien, bien, bien, bien répondu :*
[respondere :	
Dignus, dignus est entrare	*Il est digne, digne d'entrer*
In nostro docto corpore.	*Dans notre docte corporation.*
QUARTUS DOCTOR	**LE QUATRIÈME DOCTEUR**
Super illas maladias	*Sur ces maladies,*
95 *Doctus Bachelierus dixit*	*Le docte bachelier a dit des*
[maravillas,	*[merveilles,*

---

1. *Étiques* : atteints d'une fièvre qui dessèche le corps.
2. *Pulmoniques* : malades du poumon.

Mais si non ennuyo Dominum [Præsidem, Doctissimam Facultatem, Et totam honorabilem Companiam ecoutantem, 100 Faciam illi unam quæstionem. De hiero maladus unus Tombavit in meas manus : Habet grandam fievram cum [redoublamentis, Grandam dolorem capitis, 105 Et grandum malum au costé, Cum granda difficultate Et pena de respirare : Veillas mihi dire, Docte Bacheliere, 110 Quid illi facere ?	Mais si je n'ennuie pas [Monsieur le Président, La très docte Faculté, Et toute l'honorable Compagnie des écoutants, Je lui poserai une question : Hier un malade Tomba entre mes mains : Il avait une grande fièvre qui [ne faisait qu'augmenter, Une grande douleur à la tête, Et un grand mal au côté, Avec grande difficulté Et grande peine à respirer : Veux-tu me dire, Docte bachelier, Le remède qu'il faut lui [donner ?

BACHELIERUS

Clysterium donare, Postea seignare, Ensuitta purgare.	Il faut clystère donner, Après saigner, Ensuite purger.

QUINTUS DOCTOR · LE CINQUIÈME DOCTEUR

Mais si maladia 115 Opiniatria Non vult se garire, Quid illi facere ?	Mais si la maladie Obstinée Ne veut pas se laisser guérir, Quel remède faut-il donner ?

BACHELIERUS · LE BACHELIER

Clysterium donare, Postea seignare, 120 Ensuitta purgare.	Il faut clystère donner, Après saigner, Ensuite purger.

CHORUS	LE CHŒUR
Bene, bene, bene, bene	*Bien, bien, bien, bien répondu :*
[respondere :	
Dignus, dignus est entrare	*Il est digne, digne d'entrer*
In nostro docto corpore.	*Dans notre docte corporation.*

PRÆSES	LE PRÉSIDENT
Juras gardare statuta	*Tu jures d'observer les règles*
125 *Per Facultatem præscripta*	*Prescrites par la Faculté*
Cum sensu et jugeamento ?	*Avec bon sens et jugement ?*

BACHELIERUS	LE BACHELIER
Juro.	*Je le jure.*

PRÆSES	LE PRÉSIDENT
Essere, in omnibus	*D'être, dans toutes*
Consultationibus,	*Les consultations,*
130 *Ancieni aviso,*	*De l'avis d'un ancien*
Aut bono,	*Qu'il soit bon*
Aut mauvaiso ?	*ou mauvais ?*

BACHELIERUS	LE BACHELIER
Juro.	*Je le jure.*

PRÆSES	LE PRÉSIDENT
De non jamais te servire	*De ne jamais te servir*
135 *De remediis aucunis*	*D'aucun autre remède*
Quam de ceux seulement	*Que ceux seulement de la*
[doctæ Facultatis,	*[docte Faculté,*
Maladus dust-il crevare,	*Le malade dût-il crever,*
Et mori de suo malo ?	*Et mourir de son mal ?*

BACHELIERUS	LE BACHELIER
Juro.	*Je le jure.*

PRÆSES	LE PRÉSIDENT
140 *Ego, cum isto boneto*	*Moi, grâce à ce bonnet*
Venerabili et docto,	*Vénérable et docte,*
Dono tibi et concedo	*Je te donne et te concède*
Virtutem et puissanciam	*La vertu et la puissance*
Medicandi,	*D'exercer la médecine,*
145 *Purgandi,*	*De purger,*
Seignandi,	*De saigner,*
Perçandi,	*De percer,*
Taillandi,	*De tailler,*
Coupandi	*De couper,*
150 *Et occidendi*	*Et de tuer,*
Impune per totam terram.	*En toute impunité, dans le*
	[monde entier.

Entrée de ballet

Tous les Chirurgiens et Apothicaires viennent lui faire la révérence en cadence.

BACHELIERUS	LE BACHELIER
Grandes doctores doctrinœ	*Grands docteurs de la doctrine*
De la rhubarbe et du séné,	*De la rhubarbe et du séné,*
Ce serait sans douta à moi	*Ce serait sans doute à moi*
[chosa folla,	*[chose folle,*
155 *Inepta et ridicula,*	*Inepte et ridicule,*
Si j'alloibam m'engageare,	*Si j'allais m'engager,*
Vobis louangeas donare,	*À dresser vos louanges,*
Et entreprenoibam adjoutare	*Et si j'entreprenais d'ajouter*
Des lumieras au soleillo,	*Des lumières au soleil,*
160 *Et des étoilas au cielo,*	*Et des étoiles au ciel,*
Des ondas à l'Oceano,	*Et des ondes à l'océan,*
Et des rosas au printanno.	*Et des roses au printemps.*

Agreate qu'avec uno moto,
Pro toto remercimento,
165 Rendam gratiam corpori tam
[docto.
Vobis, vobis debeo
Bien plus qu'à naturœ et qu'à
[patri meo :
Natura et pater meus
Hominem me habent factum ;
170 Mais vos me, ce qui est bien
[plus,
Avetis factum medicum,
Honor, favor, et gratia
Qui, in hoc corde que voilà,
Imprimant ressentimenta
175 Qui dureront in secula.

Agréez qu'en un seul mot,
En guise de tout remerciement,
Je rende grâce à une corporation
[si savante.
À vous, à vous je dois
Bien plus qu'à la nature, et qu'à
[mon père :
La nature et mon père
Ont fait de moi un homme ;
Mais vous, de moi, ce qui est
[bien plus,
Vous avez fait un médecin,
Honneur, faveur et grâce
Qui, dans ce cœur que voilà,
Impriment des sentiments
Qui dureront éternellement.

CHORUS
Vivat, vivat, vivat, vivat, cent
[fois vivat
Novus Doctor, qui tam bene
[parlat !
Mille, mille annis et manget
[et bibat,
Et seignet et tuat !

LE CHŒUR
Vive, vive, vive, vive, vive
[cent fois
Le nouveau docteur, qui parle
[si bien !
Pendant mille et mille ans, qu'il
[mange et qu'il boive,
Et qu'il saigne et qu'il tue !

Entrée de ballet

Tous les Chirurgiens et les Apothicaires dansent au son des instruments et des voix, et des battements de mains, et des mortiers d'apothicaires.

CHIRURGUS
180 Puisse-t-il voir doctas
Suas ordonnancias
Omnium chirurgorum

LE CHIRURGIEN
Puisse-t-il voir
Ces doctes ordonnances
De tous les chirurgiens

Et apothiquarum	Et les apothicaires
Remplire boutiquas!	Remplir les boutiques!

CHORUS

LE CHŒUR

185 Vivat, vivat, vivat, vivat, cent
        [fois vivat
Novus Doctor, qui tam bene
        [parlat!
Mille, mille annis et manget et
        [bibat,
Et seignet et tuat!

Vive, vive, vive, vive, cent fois

Le nouveau docteur, qui parle
        [si bien!
Pendant mille et mille ans, qu'il
        [mange et qu'il boive,
Et qu'il saigne et qu'il tue!

CHIRURGUS

LE CHIRURGIEN

Puissent toti anni

190 Lui essere boni
Et favorabiles,
Et n'habere jamais
Quam pestas, verolas,
Fievras, pluresias,

195 Fluxus de sang, et
        [dyssenterias!

Puissent toutes les années
Lui être bonnes
Et favorables,
Et n'avoir jamais
Que pestes, véroles,
Fièvres, pleurésies,
Flux de sang, et dysenteries!

CHORUS

LE CHŒUR

Vivat, vivat, vivat, vivat, cent
        [fois vivat
Novus Doctor, qui tam bene
        [parlat!
Mille, mille annis et manget et
        [bibat,
Et seignet et tuat!

Vive, vive, vive, vive, cent fois

Le nouveau docteur, qui parle
        [si bien!
Pendant mille et mille ans, qu'il
        [mange et qu'il boive,
Et qu'il saigne et qu'il tue[1]!

Dernière entrée de ballet

---

1. Nous traduisons.

DOSSIER

Avez-vous bien lu ?

Molière en son temps

Après avoir lu la présentation (p. 9-20), répondez aux questions suivantes :

1. Quel est le vrai nom de Molière ?
2. À quelle profession est-il destiné par son père ?
3. Avec qui monte-t-il sa première troupe ?
4. Comment se nomme sa première troupe ?
5. Quel roi lui offre un théâtre et une subvention ?
6. Quels sont les deux théâtres parisiens où il crée ses spectacles ?
7. Avec quel compositeur italien invente-t-il la comédie-ballet ?
8. Avec quel compositeur crée-t-il *Le Malade imaginaire* ?
9. De quand date *Le Malade imaginaire* ?
10. Quel personnage Molière interprète-t-il le soir de sa mort ?

Le Malade imaginaire

Après avoir lu la pièce, indiquez si les affirmations suivantes sont vraies ou fausses :

1. Argan est très malade.
2. Toinette, sa servante, aime bien se moquer de lui.
3. La fille d'Argan, Angélique, est amoureuse d'un médecin.
4. Béline est la seconde épouse d'Argan. Elle s'entend bien avec Angélique.
5. Thomas Diafoirus est un jeune homme galant et intelligent.
6. Argan a une seule fille, Angélique.
7. Après s'être disputé avec Monsieur Purgon, Argan trouve enfin un bon médecin.

8. En se faisant passer pour mort, Argan comprend que Béline est vraiment amoureuse de lui.

9. À la fin de la pièce, Thomas Diafoirus épouse Angélique.

10. Dans la scène finale, Angélique devient médecin.

Microlectures

Microlecture n° 1 : l'exposition – acte I, scène 1

Un monologue comique

1. Combien de personnages sont évoqués dans cette scène ? Combien sont physiquement présents ?

2. Que fait Argan ? Quels accessoires, mentionnés dans les didascalies, permettent de le comprendre ?

3. Pourquoi certaines phrases sont-elles entre guillemets ?

4. Argan commente toujours les prescriptions de son apothicaire de la même manière : laquelle ?

Un malade imaginaire

1. Combien de remèdes Argan a-t-il pris en un mois ?

2. Semble-t-il regretter d'être malade, et vouloir retrouver la santé au plus vite ?

3. Argan sonne sa servante, qui ne vient pas. Comment réagit-il ? Que nous révèle son attitude concernant son état de santé réel ?

4. Quels traits de caractère peut-on attribuer à Argan d'après cette première scène ?

À votre tour : inspirez-vous de la scène de Molière pour écrire un monologue comique dans lequel un élève de cinquième lit et commente à voix haute la longue liste de ses devoirs.

Microlecture n° 2 : un maître joué ? – acte I, scène 2

Une servante rusée

1. Qui est Toinette par rapport à Argan ? Quelle devrait être son attitude à l'égard de celui-ci ?
2. Que cherche à éviter Toinette ?
3. Quelle stratégie met-elle en place pour y parvenir ?
4. Cette stratégie se révèle-t-elle efficace ?

Un maître sans autorité

1. Observez la manière dont Argan s'adresse à Toinette : comment exprime-t-il sa colère ?
2. Sa manifestation de colère obtient-elle l'effet attendu ? Pourquoi ?
3. Quel ordre donne-t-il à Toinette ?
4. Parvient-il à se faire obéir ?

À votre tour : inspirez-vous de cet épisode pour écrire une scène de comédie dans laquelle interviennent un élève et son professeur. Arrivé au cours en retard, l'élève sait que son professeur s'emportera contre lui : il fait tout pour éviter d'être réprimandé et puni.

Microlecture n° 3 : de plaisants médecins – acte II, scène 5

Relisez l'acte II, scène 5 (de « Allons Thomas, avancez » à « [...] mais donner une dissection est quelque chose de plus galant ») et répondez aux questions suivantes :

Des personnages ridicules

1. Comment Thomas Diafoirus est-il défini dans les didascalies ? Pourquoi ce personnage apparaît-il d'emblée comme ridicule ?

2. À qui s'adresse-t-il avant de commencer son compliment à Argan ? et après l'avoir terminé ? Quelle image cela donne-t-il de lui ?

3. Quel commentaire Monsieur Diafoirus formule-t-il à propos de son fils Thomas, après le premier compliment de celui-ci ? Quel sentiment éprouve-t-il à l'égard de son fils ?

4. Qu'apprend-on sur la personnalité de Thomas Diafoirus dans le portrait que le père dresse de son fils ? Ce portrait met-il le jeune homme en valeur ?

Une scène de séduction grotesque

1. Quelle erreur commet Thomas Diafoirus quand il s'adresse pour la première fois à Angélique ? Pourquoi cette erreur peut-elle vexer la jeune fille ?

2. Le sens du compliment que Thomas Diafoirus fait à Angélique est-il clair ? Pourquoi ?

3. Quel commentaire Toinette fait-elle de la prestation du jeune homme ? S'agit-il réellement d'un compliment ?

4. Thomas Diafoirus offre un cadeau à Angélique, et l'invite à assister à un spectacle : de quel cadeau et de quel spectacle s'agit-il ? Le jeune homme a-t-il une chance de séduire la jeune femme par ce moyen ?

À votre tour : en vous inspirant de cet épisode, imaginez une scène de comédie à quatre personnages — un garçon timide et maladroit, son père, une belle jeune fille et sa meilleure amie, intelligente et moqueuse. Encouragé par son père, le jeune homme tente en vain de séduire la jeune fille, sous le regard railleur de la meilleure amie. La scène se déroule de nos jours.

Microlecture n° 4 : une consultation farcesque – acte III, scène 10

Un faux médecin

1. Quels sont les mensonges proférés par Toinette ?
2. Afin de mieux convaincre Argan, comment modifie-t-elle sa manière de s'exprimer ?
3. Quel diagnostic propose-t-elle à Argan ? Pourquoi nous fait-il rire ?
4. Quelle opération lui suggère-t-elle avant de le quitter ? Quelle image Toinette donne-t-elle des médecins ?

Un patient crédule

1. Face aux recommandations de Toinette, comment s'exprime l'étonnement d'Argan ?
2. Comment se manifeste son respect à l'égard du médecin ?
3. Est-il prêt à suivre tous ses conseils ? Pourquoi ?
4. En quoi peut-on dire que le personnage d'Argan a évolué entre le début et la fin de la scène ?

À votre tour : après avoir quitté son maître, Toinette retrouve Angélique, lui raconte son entretien avec Argan et les réactions de celui-ci. Imaginez l'entretien des deux jeunes femmes sous forme de scène de théâtre.

L'art de la comédie

Des procédés comiques efficaces

Le Malade imaginaire est la dernière pièce de Molière, alors au sommet de son art. Pour la créer, il recourt à des procédés comiques qui ont déjà fait leurs preuves dans ses spectacles précédents. Les extraits suivants en offrent un aperçu.

1. Le monologue comique, dans *L'Avare* (1668)

Le protagoniste de *L'Avare*, Harpagon, tient plus que tout à la « cassette » qui contient tout son or. Celle-ci vient de disparaître...

Acte IV, scène 7

HARPAGON, *il crie au voleur dès le jardin, et vient sans chapeau.* – Au voleur ! au voleur ! à l'assassin ! au meurtrier ! Justice, juste Ciel ! je suis perdu, je suis assassiné, on m'a coupé la gorge, on m'a dérobé mon argent. Qui peut-ce être ? Qu'est-il devenu ? Où est-il ? Où se cache-t-il ? Que ferai-je pour le trouver ? Où courir ? Où ne pas courir ? N'est-il point là ? N'est-il point ici ? Qui est-ce ? Arrête. Rends-moi mon argent, coquin... *(Il se prend lui-même par le bras.)* Ah ! c'est moi. Mon esprit est troublé, et j'ignore où je suis, qui je suis, et ce que je fais. Hélas ! mon pauvre argent, mon pauvre argent, mon cher ami ! on m'a privé de toi ; et puisque tu m'es enlevé, j'ai perdu mon support, ma consolation, ma joie ; tout est fini pour moi, et je n'ai plus que faire au monde : sans toi, il m'est impossible de vivre. C'en est fait, je n'en puis plus ; je me meurs, je suis mort, je suis enterré. N'y a-t-il personne qui veuille me ressusciter, en me rendant mon cher argent, ou en m'apprenant qui l'a pris ? Euh ? que dites-vous ? Ce n'est personne. Il faut, qui que ce soit qui ait fait le coup, qu'avec beaucoup de soin on ait épié l'heure ; et l'on a choisi justement le temps que[1] je parlais à mon traître de fils. Sortons. Je veux aller quérir la justice, et faire donner la question à[2] toute la maison : à servantes, à valets, à fils, à fille, et à moi aussi. Que de gens assemblés ! Je ne jette mes regards sur personne qui ne me donne des soupçons, et tout me

---

1. *Le temps que* : le moment où.
2. *Faire donner la question à* : interroger sous la torture.

semble mon voleur. Eh ! de quoi est-ce qu'on parle là ? De celui qui m'a dérobé ? Quel bruit fait-on là-haut ? Est-ce mon voleur qui y est ? De grâce, si l'on sait des nouvelles de mon voleur, je supplie que l'on m'en dise. N'est-il point caché là parmi vous ? Ils me regardent tous, et se mettent à rire Vous verrez qu'ils ont part sans doute au vol que l'on m'a fait. Allons vite, des commissaires[1], des archers[2], des prévôts[3], des juges, des gênes, des potences et des bourreaux[4]. Je veux pendre tout le monde ; et si je ne retrouve pas mon argent, je me pendrai moi-même après.

Molière, *L'Avare*, éd. Christian Keime,
GF-Flammarion, coll. «Étonnants Classiques», 2008.

1. Quelles émotions exprime Harpagon dans cette scène ? À quoi sont-elles dues ?
2. Harpagon est seul en scène : à qui s'adresse-t-il ? Quel jeu avec le public se met en place à la fin de la scène ?
3. Pourquoi peut-on rapprocher le personnage d'Harpagon de celui d'Argan dans *Le Malade imaginaire* ?

2. Une dispute entre un maître et son valet, dans *Les Fourberies de Scapin* (1671)

Le fils d'Argante s'est marié sans l'autorisation de son père, ce qui provoque la fureur de ce dernier. Mais Scapin, en valet rusé, a promis son aide au fils d'Argante : pour apaiser la colère du père, il lui fait croire que son fils a été menacé de mort par les frères de la jeune fille s'il ne l'épousait pas ; il a donc été contraint d'accepter le

---

1. *Commissaires* : officiers de justice chargés des enquêtes.
2. *Archers* : agents de police.
3. *Prévôts* : juges subalternes.
4. Les *gênes* et les *potences* sont les instruments qui servent à la torture et à l'exécution des condamnés ; les *bourreaux* sont les personnes chargées de les exécuter.

mariage. Mais Argante n'a pas la réaction escomptée : il veut porter l'affaire en justice, et faire rompre le mariage.

Acte premier, scène 4

[...]

SCAPIN. – Rompre ce mariage !

ARGANTE. – Oui.

SCAPIN. – Vous ne le romprez point.

ARGANTE. – Je ne le romprai point ?

SCAPIN. – Non.

ARGANTE. – Quoi ? je n'aurai pas pour moi les droits de père, et la raison[1] de la violence qu'on a faite à mon fils ?

SCAPIN. – C'est une chose dont il ne demeurera pas[2] d'accord.

ARGANTE. – Il n'en demeurera pas d'accord ?

SCAPIN. – Non.

ARGANTE. – Mon fils ?

SCAPIN. – Votre fils. Voulez-vous qu'il confesse qu'il ait été capable de crainte, et que ce soit par force qu'on lui ait fait faire les choses ? Il n'a garde d'aller avouer cela. Ce serait se faire tort, et se montrer indigne d'un père comme vous.

ARGANTE. – Je me moque de cela.

SCAPIN. – Il faut, pour son honneur, et pour le vôtre, qu'il dise dans le monde que c'est de bon gré[3] qu'il l'a épousée.

ARGANTE. – Et je veux, moi, pour mon honneur et pour le sien, qu'il dise le contraire.

SCAPIN. – Non, je suis sûr qu'il ne le fera pas.

ARGANTE. – Je l'y forcerai bien.

SCAPIN. – Il ne le fera pas, vous dis-je.

ARGANTE. – Il le fera, ou je le déshériterai.

SCAPIN. – Vous ?

---

1. Raison : réparation.

2. Il ne demeurera pas : il ne sera pas.

3. De bon gré : volontairement.

ARGANTE. – Moi.

SCAPIN. – Bon.

ARGANTE. – Comment, bon !

SCAPIN. – Vous ne le déshériterez point.

ARGANTE. – Je ne le déshériterai point ?

SCAPIN. – Non.

ARGANTE. – Non ?

SCAPIN. – Non.

ARGANTE. – Hoy ! voici qui est plaisant : je ne déshériterai pas mon fils.

SCAPIN. – Non, vous dis-je.

ARGANTE. – Qui m'en empêchera ?

SCAPIN. – Vous-même.

ARGANTE. – Moi ?

SCAPIN. – Oui. Vous n'aurez pas ce cœur[1]-là.

ARGANTE. – Je l'aurai.

SCAPIN. – Vous vous moquez.

ARGANTE. – Je ne me moque point.

SCAPIN. – La tendresse paternelle fera son office[2].

ARGANTE. – Elle ne fera rien.

SCAPIN. – Oui, oui.

ARGANTE. – Je vous dis que cela sera.

SCAPIN. – Bagatelles.

ARGANTE. – Il ne faut point dire bagatelles.

SCAPIN. – Mon Dieu ! je vous connais, vous êtes bon naturellement.

ARGANTE. – Je ne suis point bon, et je suis méchant quand je veux. Finissons ce discours qui m'échauffe la bile. [...]

Molière, *Les Fourberies de Scapin*, éd. Claire Joubaire,
GF-Flammarion, coll. «Étonnants Classiques», 2009.

---

1. *Cœur* : ici, fermeté.
2. *Office* : devoir.

1. L'attitude de Scapin face à Argante est-elle celle que l'on attend d'un valet face à son maître ? Justifiez votre réponse.

2. Que peut-on dire du rythme de ce dialogue ? Selon vous, pourquoi Molière a-t-il fait ce choix ?

3. De quel passage du *Malade imaginaire* peut-on rapprocher cette scène ? Pourquoi ?

3. Une figure de piètre séducteur, dans *Le Bourgeois gentilhomme* (1670)

Monsieur Jourdain est un bourgeois qui, bien qu'il soit marié, espère parvenir à séduire Dorimène, une jeune aristocrate. Dorante lui a promis de l'aider et de lui enseigner les bonnes manières. En réalité, il se moque du bourgeois et de sa prétention à jouer au gentilhomme. Dans la scène suivante, Monsieur Jourdain reçoit Dorimante et essaie, bien maladroitement, de reproduire les bonnes manières de l'aristocratie, sous le regard amusé de Dorante.

Acte III, scène 16

MONSIEUR JOURDAIN, *après avoir fait deux révérences, se trouvant trop près de Dorimène.* – Un peu plus loin, Madame.

DORIMÈNE. – Comment ?

MONSIEUR JOURDAIN. – Un pas, s'il vous plaît.

DORIMÈNE. – Quoi donc ?

MONSIEUR JOURDAIN. – Reculez un peu, pour la troisième.

DORANTE. – Madame, Monsieur Jourdain sait son monde[1].

MONSIEUR JOURDAIN. – Madame, ce m'est une gloire bien grande de me voir assez fortuné pour être si heureux que d'avoir le bonheur que vous ayez eu la bonté de m'accorder la grâce de me faire l'honneur de m'honorer de la faveur de votre présence ; et si

---

1. *Sait son monde* : sait se comporter en société.

j'avais aussi le mérite pour mériter un mérite comme le vôtre, et que le Ciel... envieux de mon bien... m'eût accordé... l'avantage de me voir digne... des...

DORANTE. – Monsieur Jourdain, en voilà assez : Madame n'aime pas les grands compliments, et elle sait que vous êtes homme d'esprit. *(Bas, à Dorimène.)* C'est un bon bourgeois assez ridicule, comme vous voyez, dans toutes ses manières.

DORIMÈNE. – Il n'est pas malaisé de s'en apercevoir.

[...]

Molière, *Le Bourgeois gentilhomme*, éd. Claire Joubaire, GF-Flammarion, coll. «Étonnants Classiques», 2001.

1. Comment Monsieur Jourdain compte-t-il impressionner Dorimène ? L'effet est-il atteint ?

2. Pourquoi son compliment est-il maladroit ?

3. Quels points communs et quelles différences pouvez-vous relever entre cette scène de séduction et celle du *Malade imaginaire* (première rencontre entre Angélique et Thomas Diafoirus, acte II, scène 5) ?

4. Le personnage de faux médecin, dans *Le Médecin volant* (1659)

Dans cette pièce en un acte, Lucile aime Valère qui l'aime en retour. Mais Gorgibus, le père de la jeune femme, veut la marier à un autre. Sur les conseils de sa cousine Sabine, Lucile feint d'être malade pour recevoir la visite d'un docteur compatissant qui lui conseillera de s'installer au grand air, où son amant pourra la rejoindre. Sabine engage alors Sganarelle, valet de Valère, pour jouer un faux médecin...

Scène 4

SABINE. – Je vous trouve à propos[1], mon oncle, pour vous apprendre
une bonne nouvelle. Je vous amène le plus habile médecin du
monde, un homme qui vient des pays étrangers, qui sait les plus
beaux secrets, et qui sans doute guérira ma cousine. On me l'a
indiqué[2] par bonheur, et je vous l'amène. Il est si savant que je
voudrais de bon cœur être malade, afin qu'il me guérît.

GORGIBUS. – Où est-il donc ?

SABINE. – Le voilà qui me suit ; tenez, le voilà.

GORGIBUS. – Très humble serviteur à Monsieur le médecin ! Je vous
envoie quérir[3] pour voir ma fille, qui est malade ; je mets toute
mon espérance en vous.

SGANARELLE. – Hippocrate dit, et Galien[4] par vives raisons[5] per-
suade qu'une personne ne se porte pas bien quand elle est
malade. Vous avez raison de mettre votre espérance en moi ; car
je suis le plus grand, le plus habile, le plus docte[6] médecin qui
soit dans la faculté végétale, sensitive et minérale[7].

GORGIBUS. – J'en suis fort ravi.

SGANARELLE. – Ne vous imaginez pas que je sois un médecin ordinaire, un médecin du commun. Tous les autres médecins ne sont,
à mon égard, que des avortons de médecine[8]. J'ai des talents particuliers, j'ai des secrets. *Salamalec, salamalec*[9]. « Rodrigue, as-tu

---

1. *À propos* : au bon endroit, au bon moment.

2. *Indiqué* : conseillé.

3. *Quérir* : chercher.

4. *Galien* : médecin grec (v. 131-v. 201) à l'origine de nombreuses découvertes en anatomie. Son œuvre a joui d'un grand prestige jusqu'à la fin du
XVIe siècle.

5. *Par vives raisons* : à l'aide d'arguments convaincants.

6. *Docte* : savant.

7. *Faculté végétale, sensitive et minérale* : remèdes tirés des végétaux,
des animaux et des minéraux.

8. *Avortons de médecine* : petits médecins.

9. *Salamalec* : « Que la paix soit avec vous », en arabe (formule de
salutation).

du cœur[1] ? » *Signor, si ; segnor, non. Per omnia sæcula sæcu-lorum*[2]. Mais encore voyons un peu.

SABINE. – Hé ! Ce n'est pas lui qui est malade, c'est sa fille.

SGANARELLE. – Il n'importe : le sang du père et de la fille ne sont qu'une même chose ; et par l'altération[3] de celui du père, je puis connaître la maladie de la fille. Monsieur Gorgibus, y aurait-il moyen de voir de l'urine de l'égrotante[4] ?

GORGIBUS. – Oui-da[5] ; Sabine, vite allez quérir de l'urine de ma fille. Monsieur le médecin, j'ai grand'peur qu'elle ne meure.

SGANARELLE. – Ah ! qu'elle s'en garde bien ! Il ne faut pas qu'elle s'amuse à se laisser mourir sans l'ordonnance du médecin. Voilà de l'urine qui marque grande chaleur, grande inflammation dans les intestins : elle n'est pas tant mauvaise pourtant.

GORGIBUS. – Hé quoi ? Monsieur, vous l'avalez ?

SGANARELLE. – Ne vous étonnez pas de cela ; les médecins, d'ordi-naire, se contentent de la regarder ; mais moi, qui suis un méde-cin hors du commun, je l'avale, parce qu'avec le goût je discerne bien mieux la cause et les suites de la maladie[6]. […]

> Molière, *Le Médecin volant, La Jalousie du Barbouillé*,
> éd. Dominique Lanni, GF-Flammarion,
> coll. « Étonnants Classiques », 2006.

---

1. *« Rodrigue, as-tu du cœur ? »* : célèbre réplique tirée du *Cid* de Cor-neille (1637).

2. *Signor, si ; segnor, non. Per omnia sæcula sæculorum* : « Oui Mon-sieur, non Monsieur, pour tous les siècles des siècles. » Le comique provient ici du mélange de trois langues, l'italien, l'espagnol et le latin, et de deux dis-cours, le profane et le religieux.

3. *Altération* : dégradation.

4. *L'égrotante* : la malade.

5. *Oui-da* : oui (familier). « Da » vient renforcer l'affirmation.

6. *Suites de la maladie* : conséquences, manifestations de la maladie. Les traités de médecine recommandaient aux médecins de recueillir l'urine du malade dans un verre et de l'étudier à l'abri des rayons du soleil.

1. Comment Sganarelle fait-il croire à Gorgibus qu'il est médecin ?

2. Quel vocabulaire emploie-t-il ? Quelle langue fait-il semblant de parler ? Pourquoi ?

3. Cette scène trouve-t-elle un écho dans *Le Malade imaginaire* ? Après avoir lu cet extrait, quels liens pouvez-vous établir entre les deux pièces ?

Les types de comiques à l'œuvre dans *Le Malade Imaginaire*

On distingue traditionnellement quatre types de procédés comiques :

LE COMIQUE DE GESTE : l'effet comique provient de la gestuelle des personnages – coups de bâton, gifles, mimiques, etc.

LE COMIQUE DE SITUATION : le rire naît d'une situation inattendue, que comprend le spectateur mais que ne perçoivent pas tous les personnages.

LE COMIQUE DE MOTS : l'effet comique vient de la consonance d'un mot, de la façon dont il est prononcé, de sa répétition, etc.

LE COMIQUE DE CARACTÈRE : c'est la personnalité du personnage qui fait rire le spectateur.

Dans *Le Malade imaginaire*, à quel type de comique peut-on rattacher les éléments suivants ?

Argan multiplie les insultes
contre Toinette • • Comique de caractère

Déguisée en médecin,
la servante impressionne • • Comique de geste
son maître

Argan poursuit Toinette en
courant, son bâton à la main • • Comique de mots

Argan se laisse persuader par
ses médecins qu'il est malade, • • Comique de situation
alors qu'il est bien portant

Médecine et comédie

La médecine au temps de Molière

Dans de nombreuses comédies, Molière dresse un portrait féroce de la médecine de son temps. Celle-ci est très différente de celle que nous connaissons aujourd'hui. Au XVIIe siècle, dans les facultés de médecine, les étudiants apprennent des préceptes qui ont été établis dans l'Antiquité grecque, notamment par Hippocrate (v. 460-v. 370 av. J.-C.), sans les remettre en cause. On leur enseigne ainsi que le corps humain est parcouru par quatre substances fluides, appelées « humeurs » : le sang, le flegme (ou lymphe), la bile jaune et la « bile noire ». La bonne santé provient de l'équilibre de ces quatre substances dans le corps, et la maladie, qu'elle soit physique ou psychologique, de la prédominance de l'une d'elles dans l'organisme. L'humeur trop abondante est dite « peccante » (du verbe latin *peccare*, qui signifie « être défectueux ») : pour soigner le malade, il faut donc « purger » son corps, c'est-à-dire en extraire l'humeur malsaine. Dans ce but, on peut pratiquer une « saignée » (c'est-à-dire faire s'écouler le sang du patient en ouvrant légèrement ses veines), employer un « émétique » (c'est-à-dire donner au patient un médicament qui le fera vomir), ou encore prescrire au malade un « lavement » (c'est-à-dire lui introduire de l'eau par l'anus pour provoquer les selles et nettoyer les intestins).

Relisez la première scène du *Malade imaginaire* et répondez aux questions suivantes :

1. Dans la première scène du *Malade imaginaire*, les traitements donnés à Argan sont-ils fantaisistes ou correspondent-ils à ceux qu'un médecin du XVIIe siècle aurait pu prescrire ?

2. Pourquoi Argan quitte-t-il précipitamment la scène au cours du premier acte ? En quoi son départ est-il lié aux traitements que lui imposent les médecins ?

3. Le nom « Diafoirus » est formé sur deux mots qui évoquent les selles : « diarrhée » et « foire », qui signifie « colique » au XVIIe siècle. De quelle pratique médicale se moque ici Molière ?

4. Quel jeu de mot trouve-t-on dans le nom du médecin d'Argan, Monsieur Purgon ?

Les médecins dans *Le Malade imaginaire*

Dans *Le Malade imaginaire*, les médecins et les apothicaires ne sont pas épargnés par Molière : ce sont des personnages qui font rire par leurs nombreux défauts et leur caractère grotesque. Quel trait de caractère appartient plus spécifiquement à chacun d'entre eux ?

Monsieur Fleurant •	• Avide
Monsieur Purgon •	• Maladroit
Monsieur Diafoirus •	• Susceptible

Mettre en scène les médecins de Molière

De nos jours, comment mettre en scène les médecins de Molière ? Doit-on demander aux comédiens d'interpréter leurs personnages dans des costumes d'époque ? Est-il préférable de les revêtir d'habits d'aujourd'hui ? voire de vêtements saugrenus, qui étonneront le spectateur ? Pour vous faire votre idée, nous vous invitons, dans un premier temps, à observer des représentations de médecins datant du XVIIe siècle et, dans un second temps, à comparer les partis pris différents de plusieurs metteurs en scène contemporains sur le sujet.

1. Les médecins au XVIIe siècle – lecture de l'image

Pour répondre aux questions suivantes, observez les trois gravures du XVIIe siècle représentant des médecins (voir le cahier photos, p. 1), puis analysez-les en suivant la démarche indiquée ci-dessous.

Introduction

Présentez les trois œuvres, en indiquant notamment le nom de l'artiste, le titre de l'œuvre et sa date de création.

Description

1. Sur la gravure d'Abraham Bosse, « Le clystère », que voit-on sur la chaise située au premier plan à droite ? De quels vêtements s'agit-il ?

2. Sur la planche représentant « le médecin merdifique », comment est vêtu le médecin ?

3. Sur le frontispice de *L'Amour médecin*, où se trouve le patient et où se trouvent ses quatre médecins ? Comment peut-on les identifier ?

Interprétation

1. Pourquoi peut-on dire que les costumes des médecins les rendent impressionnants ?

2. Dans la gravure *Le Médecin merdifique*, en quoi le dessinateur joue-t-il avec le costume de son personnage pour le rendre ridicule ?

Conclusion

Au XVIIᵉ siècle, en quoi les costumes des médecins permettent-ils d'identifier rapidement ces derniers et de les caricaturer ?

2. Les médecins de Molière, au XXᵉ siècle – lecture de l'image

Observez les trois photographies et les deux croquis de costumes reproduits dans le cahier photos (p. 2-3) et analysez-les en suivant la démarche indiquée ci-dessous.

Introduction

Présentez les cinq spectacles dont sont tirées ces photographies, en indiquant le titre des spectacles, leur date de création et le nom de leur metteur en scène.

Description

1. Daniel Sorano emprunte des éléments aux représentations des médecins du XVIIᵉ siècle. Pouvez-vous les repérer ?

2. Grâce à quels éléments de son costume, et à quels accessoires, le médecin mis en scène par Georges Werler apparaît-il comme un personnage contemporain ?

3. Les médecins de *L'Amour médecin*, imaginés par Jean-Marie Villégier et Jonathan Duverger, ont-ils des costumes réalistes ? Quelle impression donnent-ils ?

4. Décrivez les costumes de médecin choisis par Gildas Bourdet et Claude Stratz.

Interprétation

1. Peut-on dire que chacun des metteurs en scène s'est inspiré des costumes traditionnels des médecins ?

2. D'après les trois photographies, quels éléments les metteurs en scène ont-ils accentués pour servir la caricature ?

3. Comparez les choix de Gildas Bourdet et Claude Stratz.

4. Quelle est selon vous l'intention des cinq metteurs en scène ? Quels effets chacun d'eux a-t-il cherché à produire sur les spectateurs ?

Conclusion

Quel choix de mise en scène préférez-vous ? Pourquoi ?

Postérité du personnage : Knock, un Diafoirus du XXe siècle

Les comédies médicales de Molière ont rencontré un grand succès et inspiré bien des dramaturges. Nous vous invitons à découvrir *Knock*, une pièce écrite par Jules Romain (1885-1972) en 1922, dans laquelle se rencontrent un étrange médecin... et une patiente bien naïve !

Knock a racheté le cabinet du docteur Parpalaid. Mais le village où il est désormais installé compte trop peu de malades à son goût ! Pour augmenter son chiffre d'affaires, il a décidé d'inciter les bien-portants à fréquenter son cabinet : ainsi, il instaure une consultation gratuite un jour par semaine, et invente des maladies de toutes sortes à ceux qui viennent le voir. Dans la scène qui suit, une femme – appelée « la dame en noir » – se laisse peu à peu persuader par Knock qu'elle est réellement malade.

Acte II, scène 4

[...]

KNOCK. – Tirez la langue. Vous ne devez pas avoir beaucoup d'appétit.

LA DAME. – Non.

KNOCK. – Vous êtes constipée.

LA DAME. – Oui.

KNOCK. – Baissez la tête. Respirez. Toussez. Vous n'êtes jamais tombée d'une échelle étant petite ?

LA DAME. – Je ne m'en souviens pas.

KNOCK. – Vous n'avez jamais mal ici le soir en vous couchant ? Une espèce de courbature ?

LA DAME. – Oui, des fois.

KNOCK. – Essayez de vous rappeler. Ça devait être une grande échelle.

LA DAME. – Oui.

KNOCK. – C'était une échelle d'environ trois mètres cinquante, posée contre le mur. Vous êtes tombée à la renverse. C'est la fesse gauche, heureusement, qui a porté.

LA DAME. – Ah oui !

KNOCK. – Vous aviez déjà consulté le docteur Parpalaid ?

LA DAME. – Non, jamais.

KNOCK. – Pourquoi ?

LA DAME. – Il ne donnait pas de consultations gratuites.

KNOCK. – Vous vous rendez compte de votre état ?

LA DAME. – Non.

KNOCK. – Tant mieux. Vous avez envie de guérir, ou vous n'avez pas envie ?

LA DAME. – J'ai envie.

KNOCK. – J'aime mieux vous prévenir tout de suite que ce sera très long et très coûteux.

LA DAME. – Ah ! mon Dieu ! Et pourquoi ça ?

KNOCK. – Parce qu'on ne guérit pas en cinq minutes un mal qu'on traîne depuis quarante ans.

LA DAME. – Depuis quarante ans ?

KNOCK. – Oui, depuis que vous êtes tombée de votre échelle.

LA DAME. – Et combien que ça me coûterait ?

KNOCK. – Qu'est-ce que valent les veaux, actuellement ?

LA DAME. – Ça dépend des marchés et de la grosseur. Mais il faut bien compter deux ou trois mille francs.

KNOCK. – Et les cochons gras ?

LA DAME. – Il y en a qui font plus de mille.

KNOCK. – Eh bien ! ça vous coûtera à peu près deux cochons et deux veaux.

LA DAME. – Ah ! là ! là ! Près de huit mille francs ? C'est une désolation, Jésus Marie !

KNOCK. – Si vous aimez mieux faire un pèlerinage, je ne vous en empêche pas.

LA DAME. – Oh ! un pèlerinage, ça revient cher aussi et ça ne réussit pas souvent. Mais qu'est-ce que je peux donc avoir de si terrible que ça ?

KNOCK. – Je vais vous l'expliquer en une minute. Voici votre moelle épinière, en coupe, très schématiquement, n'est-ce pas ? Vous reconnaissez ici votre faisceau de Türck et ici votre colonne de Clarke[1]. – Vous me suivez ? Eh bien ! quand vous êtes tombée de l'échelle, votre Türck et votre Clarke ont glissé en sens inverse de quelques dixièmes de millimètre. Vous me direz que c'est très peu. Évidemment. Mais c'est très mal placé. Et puis vous avez ici un tiraillement continu qui s'exerce sur les multipolaires.

LA DAME. – Mon Dieu ! Mon Dieu !

KNOCK. – Remarquez que vous ne mourrez pas du jour au lendemain. Vous pouvez attendre.

LA DAME. – Oh ! là ! là ! J'ai bien eu du malheur de tomber de cette échelle !

> Jules Romain, *Knock ou le Triomphe de la médecine*,
> © Gallimard, 1923, rééd. coll. « Folio », 1972.

1. Quelle stratégie Knock utilise-t-il pour persuader sa patiente qu'elle est malade ?

---

1. Knock emploie volontairement des termes techniques que sa patiente ne peut pas comprendre.

2. Observez les répliques de la patiente : comment ses sentiments évoluent-ils au cours de la scène ?

3. Quels rapprochements pouvez-vous faire entre cette scène et *Le Malade imaginaire* ?

Histoire des arts :
Le Malade imaginaire à Versailles

Le Malade imaginaire n'est pas une simple comédie mais une comédie-ballet, qui mêle au théâtre la musique et la danse (voir présentation, p. 14). Ce type de spectacle naît dans un contexte particulier : il est destiné à divertir le Roi-Soleil lors de grandes fêtes organisées en son honneur. Si la première représentation du *Malade imaginaire* n'a pas lieu à Versailles mais au théâtre du Palais-Royal[1], Louis XIV peut tout de même assister à cette comédie-ballet lorsqu'elle est remontée à Versailles, en 1674, soit un an après la mort de Molière. Le spectacle est alors intégré à une somptueuse fête donnée à l'occasion de la victoire du monarque en Franche-Comté[2] : les réjouissances, qui durent plusieurs jours, reçoivent le nom de « Grand Divertissement de Versailles ». Comment cette fête s'est-elle déroulée ? Comment *Le Malade imaginaire* y a-t-il été mis

---

1. En 1673, date de la première représentation du *Malade imaginaire*, Molière ne pouvait plus jouer dans un des palais du roi (au Louvre ou à Versailles), car il venait de se brouiller avec Lully, le compositeur qui dirigeait les programmes musicaux des salles de spectacles royales (voir présentation, p. 18).

2. La Franche-Comté appartenait à l'Espagne depuis 1668. Elle fut envahie par les troupes de Louis XIV en 1674. Après la prise des villes de Besançon et de Dôle, la victoire au fort de Joux, le 4 juillet, permit de faire de la Franche-Comté une province du royaume de France.

en scène ? Quelle intention anime Louis XIV lorsqu'il offre à sa cour ce spectacle fastueux ? Nous trouvons une réponse à ces questions dans le témoignage d'André Félibien (1619-1695), historiographe[1] de Louis XIV, qui a consacré plusieurs ouvrages à la description de Versailles et à celle de la vie de cour.

Le programme du « Grand Divertissement de Versailles »

Grâce à André Félibien, qui fit un compte rendu précis des festivités organisées par le roi, on peut reconstituer assez précisément ce que furent les six journées qui constituèrent le « Grand Divertissement de Versailles », une des plus belles fêtes jamais organisées par le souverain dans son domaine.

Journées	Festivités	Lieux
Première journée : 4 juillet 1674	Promenade	
	Collation[2]	Marais
	Représentation de la tragédie à machines *Alceste*, de Quinault	Théâtre dressé dans la cour du château
	Souper	Château
Deuxième journée : 11 juillet 1674	Pastorale	Salon de verdure dans le bois du grand parc
	Promenade	
	Souper en musique	Salle du Conseil

1. *Historiographe* : historien chargé officiellement d'écrire l'histoire de son temps et des grands personnages de son époque, comme le roi.
2. *Collation* : traditionnellement, repas léger, en-cas. Dans le cadre des fêtes de Louis XIV, il s'agit pourtant de véritables festins.

Journées	Festivités	Lieux
Troisième journée : 19 juillet 1674	Promenade et collation	Ménagerie
	Promenade en gondole et concert	Canal
	Représentation du *Malade imaginaire*, comédie-ballet de Molière	Théâtre dressé devant une grotte
Quatrième journée : 28 juillet 1674	Collation	
	Représentation des *Fêtes de l'Amour et de Bacchus*, opéra de Lully	Théâtre situé dans un des bois du petit parc
	Promenade en calèche	Petit parc
	Illuminations et feux d'artifice	Canal
	Souper en musique	Table dressée autour de la fontaine
Cinquième journée : 18 août 1674	Promenade	Petit parc
	Collation en musique	Bosquet entre l'allée royale et l'allée de Bacchus
	Représentation d'*Iphigénie*, tragédie de Racine	Théâtre dressé dans l'Orangerie
	Illuminations et feux d'artifice	Canal
Sixième journée (de nuit)	Illuminations et feux d'artifice	Terrasse devant le château
	Illuminations et promenade en gondole	Grand Canal

1. Quels éléments récurrents repérez-vous dans les différentes journées du «Grand Divertissement de Versailles»?
2. Quels éléments montrent que la musique et le théâtre y tiennent une place importante?
3. Pourquoi peut-on dire que Louis XIV cherche à surprendre ses invités?

La représentation du *Malade imaginaire* commentée par l'historiographe du roi

Le 19 juillet fut représenté *Le Malade imaginaire*. Le récit de Félibien nous permet de reconstituer en détail cette troisième journée de festivités. Une gravure de Le Pautre[1] (cahier photos, p. 7) nous offre elle aussi un aperçu de la mise en scène de la comédie-ballet lors du Grand Divertissement.

Le dix-neuvième du même mois le roi alla se promener à la ménagerie[2], où il donna la collation aux dames de lac. C'est un lieu situé dans le parc de Versailles, à l'un des bouts du canal[3], vis-à-vis de trianon[4]. On y voit tout ce qui peut rendre la vie champêtre agréable et divertissante par la nourriture des animaux de toutes sortes d'espèces. Au bout d'une longue avenue d'arbres est un petit palais, dont la principale pièce est un salon de figure octogone. Il est environné d'une balustrade tout autour, d'où l'on voit sept tours qui aboutissent à la cour du milieu, et qui en sont séparées par des

---

1. *Le Pautre* (1621-1679) : célèbre architecte du XVIIe siècle (on lui doit notamment la Grande Cascade du domaine de Saint-Cloud). Il faisait partie de l'Académie royale d'architecture et a réalisé de nombreux dessins des palais royaux.
2. *Ménagerie* : à l'intérieur du jardin de Versailles, parc où se trouvent différentes cours dans lesquelles sont logés des animaux.
3. Il s'agit du plus grand bassin du parc de Versailles.
4. *Trianon* : petit château entouré de parcs.

grilles de fer, qui forment une figure semblable à celle du salon. Toutes ces cours sont remplies d'une infinité d'oiseaux très rares, et d'une quantité incroyable d'autres animaux sauvages.

Après la collation qui fut très magnifique, Sa Majesté étant montée sur le canal dans des gondoles superbement parées, fut suivie de la musique, des violons et des hautbois qui étaient dans un grand vaisseau. Elle demeura environ une heure à goûter la fraîcheur du soir, et entendre les agréables concerts des voix et des instruments, qui seuls interrompaient alors le silence de la nuit qui commençait à paraître.

En suite de[1] cela le roi descendit à la tête du canal, et étant entré dans sa calèche, alla au théâtre que l'on avait dressé devant la grotte[2] pour la représentation de la comédie du *Malade imaginaire*, dernier ouvrage du sieur[3] Molière.

L'aspect de la grotte servait de fond à ce théâtre élevé de deux pieds et demi de terre[4]. Le frontispice[5] était une grande corniche architravée[6], soutenue aux deux extrémités par deux massifs avec des ornements rustiques, et semblables à ceux qui paraissent audehors de la grotte. Dans chaque massif il y avait deux niches, où sur des piédestaux[7] on voyait deux figures représentant d'un côté Hercule tenant sa massue et terrassant l'Hydre, et de l'autre côté Apollon appuyé sur son arc, et foulant au pied le serpent Python[8].

---

1. *En suite de* : à la suite de.
2. Il s'agit d'une grotte artificielle, décorée de statues.
3. *Du sieur* : de monsieur.
4. C'est-à-dire surélevé.
5. *Frontispice* : façade principale.
6. *Corniche architravée* : il s'agit de la partie supérieure de la façade, dont la corniche n'est pas accompagnée d'une frise.
7. *Piédestaux* : supports de grandes statues.
8. Le demi-dieu Hercule, l'Hydre de Lerne (un serpent à plusieurs têtes), le dieu Apollon et le serpent Python sont des figures mythologiques de l'Antiquité. Il en va de même, plus loin, des Nymphes, de Thétis et des Tritons.

Au-dessus de la corniche s'élevait un fronton, dont le tympan[1] était rempli des armes du roi[2]. Sept grands lustres pendaient sur le devant du théâtre, qui était avancé au-devant des trois portes de la grotte. Les côtés étaient ornés d'une agréable feuillée ; mais au travers des portes où le théâtre continuait de s'étendre, l'on voyait que la grotte même lui servait de principale décoration. Elle était éclairée d'une quantité de girandoles[3] de cristal, portés sur des guéridons d'or et d'azur, et d'une quantité d'autres lumières qu'on avait mises sur des corniches et sur toutes les autres saillies.

La table de marbre qui était au milieu était environnée de quantité de festons[4] de fleurs, et chargée d'une grande corbeille de même.

Au fond des trois ouvertures l'on voyait les trois grandes niches où sont ces groupes de figures de marbre blanc, dont la beauté du sujet, et l'excellence du travail font une grande richesse de ce lieu.

Dans la niche du milieu Apollon est représenté assis et environné des Nymphes de Thétis qui le parfument ; et dans les deux autres sont ses chevaux avec des Tritons qui les pansent.

Du haut de la niche du milieu tombe derrière les Figures[5] une grande nappe d'eau qui sort de l'urne que tient un Fleuve couché sur une roche ; cette eau qui s'est répandue au pied des figures dans un grand bassin de marbre, retombe ensuite jusqu'en bas par grandes nappes, partie[6] entières et partie déchirées : Et des niches où sont les chevaux, il tombe pareillement des nappes d'eau qui font des chutes admirables. Mais toutes ces cascades étant alors éclairées d'une infinité de bougies qu'on ne voyait pas, faisaient des effets d'autant plus merveilleux et plus surprenants, qu'il n'y avait point de goutte d'eau qui ne brillait du feu de tant de lumières, et qui ne renvoyait autant de clarté qu'elle n'en recevait.

---

1. *Tympan* : surface verticale du fronton.
2. *Armes du roi* : blason du roi.
3. *Girandoles* : chandeliers à plusieurs branches, disposés en pyramides.
4. *Festons* : guirlandes de fleurs et de feuilles.
5. *Figures* : statues.
6. *Partie* : en partie.

Ce fut à la vue d'une si agréable décoration que les comédiens de la troupe du roi représentèrent *Le Malade imaginaire*, dont leurs majestés et toute la cour ne reçurent pas moins de plaisir qu'elles en ont toujours eu aux pièces de son auteur.

André Félibien, *Les Divertissements de Versailles,*
donnés par le roi à toute sa cour,
au retour de la conquête de la Franche-Comté,
J.-B. Coignard, 1674.

1. D'après la description des festivités qui ont précédé la représentation du *Malade imaginaire*, dans quel état d'esprit se trouvent selon vous les spectateurs au moment où ils se rendent à ce spectacle ?

2. Quels éléments du théâtre contribuent à rendre la représentation grandiose ?

3. D'après la description du décor et la gravure de Le Pautre, comment le prestige du roi se trouve-t-il renforcé ?

4. D'après vous, quel est l'effet recherché par le roi ?

5. Selon vous, dans la pièce de Molière, quelles scènes seront le mieux mises en valeur par le caractère spectaculaire des décors et de la scénographie : les scènes jouées ou les scènes chantées et dansées ?

De l'importance des spectacles : petite leçon au dauphin

Pourquoi le roi privilégiait-il ces spectacles grandioses ? Entre 1661 et 1668, Louis XIV rédige des *Mémoires pour l'instruction du dauphin*, afin d'enseigner à son fils, futur héritier du trône, le fonctionnement du royaume et les devoirs d'un souverain. Dans le passage qui suit, il lui explique pourquoi il est important d'organiser de nombreux divertissements.

Cette société de plaisirs, qui donne aux personnes de la cour une honnête familiarité avec nous, les touche et les charme plus qu'on peut dire. Les peuples, d'un autre côté, se plaisent au spectacle où, au fond, on a toujours pour but de leur plaire ; et tous nos sujets, en général, sont ravis de voir que nous aimons ce qu'ils aiment, ou à quoi ils réussissent le mieux. Par là nous tenons leur esprit et leur cœur, quelquefois plus fortement peut-être, que par des récompenses et des bienfaits ; et à l'égard des étrangers dans un État qu'ils voient florissant d'ailleurs et bien réglé, ce qui se consume en ces dépenses qui peuvent passer pour superflues fait sur eux une impression très avantageuse de magnificence[1], de puissance, de richesse et de grandeur.

Louis XIV, *Mémoires pour l'instruction du dauphin*, 1661-1668, éd. Pierre Goubert, Imprimerie nationale, 1992.

1. D'après Louis XIV, pourquoi un souverain doit-il organiser des spectacles pour ses sujets ?
2. Quel intérêt y trouve le souverain ?
3. En présentant la comédie-ballet *Le Malade imaginaire* à sa cour, quelle image Louis XIV offrait-il de lui-même ?

---

1. *Magnificence* : splendeur.

Dernières parutions